간호사
합격
필기·면접
핵심요약

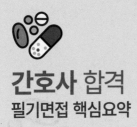

간호사 합격
필기면접 핵심요약

개정판 1쇄 발행	2022년 03월 07일	
개정2판 1쇄 발행	2023년 07월 21일	

저　　자 │ 이유림, 간호시험연구소

발 행 처 │ (주)서원각

등록번호 │ 1999-1A-107호

주　　소 │ 경기도 고양시 일산서구 덕산로 88-45(가좌동)

교재주문 │ 031-923-2051

교재문의 │ 카카오톡 플러스 친구 [서원각]

홈페이지 │ www.goseowon.com

한국간호사 윤리선언

우리는 어떤 상황에서도 간호전문직으로서의 명예와 품위를 유지하며, 최선의 간호로 국민건강 옹호자의 역할을 성실히 수행한다.

우리는 인간 존엄성에 영향을 줄 수 있는 생명과학기술을 포함한 첨단 과학시술의 적용에 대해 윤리적 판단을 견지하며, 부당하고 비윤리적인 의료행위에 참여하지 않는다.

우리는 간호의 질 향상을 위해 노력하고, 모든 보건의료종사자의 고유한 역할을 존중하며 국민 건강을 위해 상호 협력한다.

우리는 이 다짐을 성심으로 지켜 간호전문직으로서의 사회적 소명을 완수하기 위해 최선을 다할 것을 엄숙히 선언한다.

간호는 모든 개인과 가정, 지역사회를 대상으로 건강 회복 및 유지, 질병의 예방, 건강 증진에 필요한 지식이나 기력, 의지, 자원을 갖추도록 직접 도와주는 활동입니다. 전문적 간호에 대한 지식과 실무 능력을 인정받아 정부로부터 간호사 면허를 취득하게 됩니다.

숭고한 사명을 가지고 헌신하고자 시험을 준비하는 수험생 여러분이 틈틈이 비는 자투리 시간과 오고가는 대중교통 속에서도 간편히 들고 의지할 수 있기를 바라며 본서를 기획하였습니다.

크게 기본간호학, 성인간호학, 기타 간호학으로 나누어 간호과정 및 기록부터 약물계산과 용어까지 총 32개의 Chapter에 중요 이론 요점을 정리하여 담았습니다. 또한 시험을 앞두고 언제 어디서든, 휴대하기 쉽도록 한손에 들어오는 크기로 구성하여 장소와 시간에 구애받지 않도록 구성하였습니다.

시험장으로 향하는 발걸음이 보다 가벼워지기를 소망하며, 수험생 여러분의 아름다운 결실을 서원각이 함께 응원하겠습니다.

CONTENTS

PART 3 기타 간호학

PART 4 부록

(2) 활력징후 정상 범위

구분		유아	
체온(℃)		37.2 ~ 37.6℃	3
맥박(회/분)		80 ~ 130회/분	7
호흡(회/분)		24 ~ 40회/분	1
혈압 (mmHg)	수축기	80 ~ 112mmHg	94
	이완기	50 ~ 80mmHg	62

핵심 쏙 요점정리!

촉박한 시간, 빠르고 정확하게 확인할 수 있도록
중요 요점만을 수록하였습니다. 효율성을 높이는
요점 정리로 확인해보세요!

check list!

☐ Tip을 통해 개념을 더욱 완성시켜보세요!
☐ 면접 기출과 예상 필기문제를 확인해보세요!
☐ 관련 기사로 면접 답변을 보다 완벽하게 만들
    어보세요!

✅ 관련 의학용어 알고가기		
✔	약 어	용 어
✔	TPR	temperature, pulse
✔	BP	blood pre
✔	SOB	short of b

빈출多 의학용어!

빈출이 높고 가장 많이 쓰이는 의학용어들을 정
리하여 수록하였습니다. 시험장에 들어가기 전
한 번 더 확인해보세요!

check list!

☐ 각 CHAPTER와 관련된 용어를 확인해보세요!
☐ 약어도 확실하게 짚고 넘어가세요!
☐ 활력징후와 임상병리검사 정상치도 잊지 말고
    check, check!

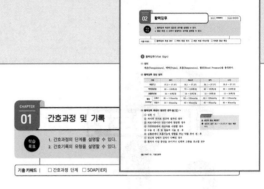

CHAPTER 01 간호과정 및 기록

학습목표
1. 간호과정의 단계를 설명할 수 있다.
2. 간호기록의 유형을 설명할 수 있다.

기출 키워드 ☐ 간호과정 단계 ☐ SOAP(IER)

1 간호과정의 단계

(1) 간호과정

비판적 사고를 통해 건강 및 질병에 대한 환자의 반응을 간호문제로 진단하고, 개별화된 간호
중재를 제공하는 문제해결과정이다.

Tip 간호의 목표
건강 증진, 질병 예방, 건강회복, 장애 및 죽음에 대한 대처

(2) 간호과정의 단계

① 간호사정 : 대상자의 자료를 수집, 확인, 분석하는 단계이다.
② 간호진단 : 비판적 사고를 통해 대상자의 실재적 혹은 잠재적 건강문제를 임상적으로 평가하
   는 단계이다.
③ 간호계획 : 환자의 목표설정과 우선순위, 기대되는 결과 및 간호계획을 기록하는 단계이다.
④ 간호수행 : 간호계획을 점토 및 수정하고 수행하는 단계이다.
⑤ 간호평가 : 환자의 반응 및 목표달성 진행 상태, 간호의 질과 수준을 측정하는 단계이다.

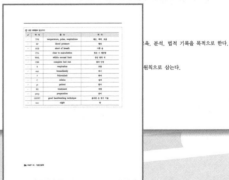

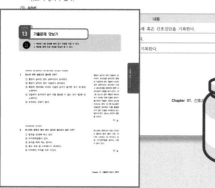

③ 기록의 유형

(1) 정보중심기록 12

① 정의: 전통적인 기록 방법으로,

② 종류: 입원기록지, 간호기록지,
조사지 등이 있다.

(2) 문제중심기록 19

① 정의: 건강문제와 관련된 간호경과 기록 SOAP와 중재, 평가, 재교정이 포함된 SOAPIER이
있다.

② 방법

구분	내용
Subjective Data(주관적 자료)	환자가 느끼고 생각한 것을 인용하여 기록한다.
Objective Data(객관적 자료)	진단 검사, 증상, 징후 등 객관적 자료로써 간호사가 관찰한 내용 기록한다.
Assessment(사정)	주관적·객관적 자료를 활용하여 분석 후 진단을 내린다.
Planning(계획)	진단한 문제를 해결하기 위하여 간호계획을 수립한다.
Intervention(중재)	간호계획을 수행한 후 상태를 기록한다.
Evaluation(평가)	평가 단계로, 대상자의 상태변화 및 반응을 기록한다.
Revision(재교정)	문제가 있는 부분을 다시 수정하고 수정 방안을 기록한다.

(3) PIE 기록

① 정의: 간호계획을 따로 분리하지 않고 Problem(문제), Intervention(중재), Evaluation(평가)로 구성되어 있다.

---

01. acxetaminophen 500mg 1T bid/day

약물계산 모의문제

까다롭고 헷갈리는 약물 계산을 약물 용량과 투약 시간, 농도 등의 문제를 수록하여 확실하게 각인할 수 있도록 구성하였습니다.

check list!

☐ 투약약어를 확인해보세요!
☐ 약물 계산에 필요한 공식은 암기하고 넘어가세요!
☐ 모의 문제로 확실하게 짚고 가세요!

---

01 전문지식과 그 응용력

운동성 실어증 종류에는 무엇이 있습니까?

TIP 운동성 실어증은 대뇌의 손상에 의한 언어장애로, 증상에 따른 종류와 원인을 설명하도록 한다.

필기 기출문제&면접질문

파트별 기출복원문제로 필기시험 실전 감각을 익혀보고 면접 예상질문을 보면서 면접장에 들어가기 전 확인해보세요!

check list!

☐ 복원한 기출문제로 실력을 점검해보세요!
☐ 해설을 통해 전공 개념을 확실하게 짚고 넘어가세요!
☐ 평정요소별 면접 질문을 통해 면접 답변을 연습해보세요!

로니T의 암기 꿀팁 전수

🔖 척추 개수 편

성인은 약 26개, 유아는 약 33개로 이루어진 척추!

경척추 7개, 흉추 12개, 요추 5개, 천추 1개, 미추 1개로 이루어져 있는데요.

경추는 가장 작고 가벼워요. C_1 은 고개를 앞뒤로 끄덕~할 수 있도록 하고 C_2 는 고개를 옆으로 절레절레~ 저을 수 있게 해줍니다.

흉추는 몸통이 좌우로 회전할 수 있게, 요추는 몸을 앞뒤로 숙였다 제꼈다 할 수 있게 합니다.

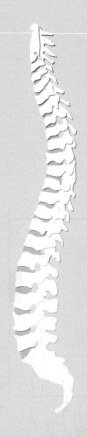

아기일 때는 천추 5개, 미추 4개가 있습니다.

하긴, 아기는 몸집이 작으니까 그렇긴 하겠죠?

아기들 몸에 있는 천추와 미추가 성장하면서 1개로 합쳐지고 보다 단단해져요.

이 합쳐진 뼈를 "천골"과 "미골"이라고도 합니다.

그러니까, 천추가 5개에서 1개로 합쳐지면서 천골이라고도 불리고

미추가 4개에서 1개로 합쳐지면서 미골이라고도 불리게 되는 것이죠!

척추의 개수는 알아두는 것이 좋아요.

어떻게 외워야 쉽게 외울까요?!

경추 7개, 흉추 12개, 요추 5개를

"아침 7시에 일어나서 12시에 점심을 먹고 5시에 집에 간다!"

어때요,

기억하기 쉽죠?

더 자세한 이야기는 네이버 카페 [비컴널스]에서 확인하세요.

PART

01

기본간호학

간호과정 및 기록

출제빈도 ●●●●○ | 학습결과 ☺☺☹

❶ 간호과정의 단계

(1) 간호과정

비판적 사고를 통해 건강 및 질병에 대한 환자의 반응을 간호문제로 진단하고, 개별화된 간호중재를 제공하는 문제해결과정이다.

> **TIP** 간호의 목표
>
> 건강 증진, 질병 예방, 건강회복, 장애 및 죽음에 대한 대처

(2) 간호과정의 단계 ✅기출 '20 '16

① 간호사정 : 대상자의 자료를 수집, 확인, 분석하는 단계이다.

② 간호진단 : 비판적 사고를 통해 대상자의 실재적 혹은 잠재적 건강문제를 임상적으로 평가하는 단계이다.

③ 간호계획 : 환자의 목표설정과 우선순위, 기대되는 결과 및 간호계획을 기록하는 단계이다.

④ 간호수행 : 간호계획을 검토 및 수정하고 수행하는 단계이다.

⑤ 간호평가 : 환자의 반응 및 목표달성 진행 상태, 간호의 질과 수준을 측정하는 단계이다.

❷ 간호기록

(1) 기록의 목적 ✅기출 '21 '20 '18 '17

의사소통, 환자의 사정 및 간호계획, 감사, 연구 · 교육, 분석, 법적 기록을 목적으로 한다.

(2) 기록의 원칙 ✅기출 '21

사실성, 정확성, 완결성, 동시성, 조직성, 보완성을 원칙으로 삼는다.

❸ 기록의 유형

(1) 정보중심기록 ✔기출 '12

① 정의 : 전통적인 기록 방법으로, 일정 시간 또는 중요한 사건별로 정보를 기록하여 보관한다.
② 종류 : 입원기록지, 간호기록지, 투약기록지, 의사처방지, 병력기록지, 의료기록지, 간호정보
조사지 등이 있다.

(2) 문제중심기록 ✔기출 '19

① 정의 : 건강문제와 관련된 간호경과 기록 SOAP와 중재, 평가, 재교정이 포함된 SOAPIER이
있다.
② 방법

구분	내용
Subjective Data(주관적 자료)	환자가 느끼고 생각한 것을 인용하여 기록한다.
Objective Data(객관적 자료)	진단 검사, 증상, 징후 등 객관적 자료로써 간호사가 관찰한 내용 기록한다.
Assessment(사정)	주관적 · 객관적 자료를 활용하여 분석 후 진단을 내린다.
Planning(계획)	진단한 문제를 해결하기 위하여 간호계획을 수립한다.
Intervention(중재)	간호계획을 수행한 후 상태를 기록한다.
Evaluation(평가)	평가 단계로, 대상자의 상태변화 및 반응을 기록한다.
Revision(재교정)	문제가 있는 부분을 다시 수정하고 수정 방안을 기록한다.

(3) PIE 기록

① 정의 : 간호계획을 따로 분리하지 않고 Problem(문제), Intervention(중재), Evaluation(평
가)로 구성되어 있다.
② 방법

구분	내용
Problem(문제)	대상자에게 적용할 수 있는 문제 혹은 간호진단을 기록한다.
Intervention(중재)	중재 혹은 활동수행을 기록한다.
Evaluation(평가)	간호중재 결과에 대한 평가를 기록한다.

(4) **초점 DAR 기록** ✅**기출** '21

① 정의 : 환자와 환자의 관심에 간호의 초점을 두는 환자 중심의 기록이다.

② 방법

구분	내용
Data(자료)	주관적 자료 및 객관적 자료를 기록한다.
Action(활동)	중재한 내용을 기록한다.
Response(반응)	환자의 반응 및 치료결과를 서술하여 기록한다.

(5) **사례관리 모델**

정해진 짧은 기간 내에 비용이 적게 드는 관리방법을 강조한 기록도구로, 같은 질병을 가진 환자 그룹에게 적용한다.

CHECK 실제 면접장에서 이렇게 물어본다 ! ●

* 2021 | 국민건강보험공단 일산병원 2020 | 동아대 2018 | 동아대 2017 | 인하대 간호기록을 작성하는 목적을 말해보시오.

* 2021 | 의정부성모 간호기록 작성 원칙에 대해 말해보시오.

* 2021 | 순천향천안 간호기록 중 포커스(초점) DAR 기록법에 대해 말해보시오.

* 2019 | 울산대 SOAP차팅은 무엇인지 말해보시오.

* 2016 | 삼성서울 환자간호를 간호과정으로 말해보시오.

* 2016 | 신촌세브 간호과정에 대해서 말해보시오.

* 2016 | 원주세브 간호평가에 대해서 말해보시오.

* 예상질문 초점 DAR 기록에 대해 말해보시오.

* 예상질문 PIE 기록의 특징을 말해보시오.

ⓒ 관련 의학용어 알고가기

✔	약 어	용 어	의 미
✔	AMB	ambulatory	걸어서
✔	DNR	do not resuscitate	심폐소생술 거부
✔	Dsg	dressing	드레싱
✔	bx	biopsy	생검
✔	c/o	complains of	~호소
✔	h/o	history of	병력
✔	PE	physical examination	신체검진
✔	PRN	as needed	필요시
✔	WA	while awake	깨어있는 동안
✔	NPO	nothing by mouth	금식
✔	H/A	headache	두통
✔	N/V	nausea and vomiting	오심과 구토
✔	MAE	moves all extremities	모든 사지가 움직임
✔	AMA	against medical advice	의학적 권고에 거부
✔	preop	preoperative	수술 전
✔	postop	postoperative	수술 후
✔	PT	physical therapy	물리 요법
✔	ROM	range of motion	관절운동범위
✔	SOB	side of bed	침상 옆
✔	TX	treatment	치료

| CHAPTER 02 | 활력징후 | 출제빈도 ●●●●○ | 학습결과 ☺☺☹ |

학습목표
1. 활력징후 측정이 필요한 경우를 설명할 수 있다.
2. 혈압 측정 시 오류가 발생하는 경우를 설명할 수 있다.

기출 키워드 | ☐ 활력징후 측정 경우 ☐ 맥박 측정 위치 ☐ 체온 측정 주의사항 ☐ 저체온 증상 특징

❶ 활력징후(Vital Sign)

(1) 정의

체온(Temperature), 맥박(Pulse), 호흡(Respiration), 혈압(Blood Pressure)을 총칭한다.

(2) 활력징후 정상 범위

구분		유아	청소년	성인	노인
체온(℃)		37.2 ~ 37.6℃	36.1 ~ 37.2℃	36.1 ~ 37.2℃	35.6 ~ 37.2℃
맥박(회/분)		80 ~ 130회/분	70 ~ 100회/분	60 ~ 100회/분	60 ~ 100회/분
호흡(회/분)		24 ~ 40회/분	18 ~ 22회/분	12 ~ 20회/분	12 ~ 20회/분
혈압 (mmHg)	수축기	80 ~ 112mmHg	94 ~ 120mmHg	90 ~ 120mmHg	90 ~ 120mmHg
	이완기	50 ~ 80mmHg	62 ~ 80mmHg	60 ~ 80mmHg	60 ~ 80mmHg

(3) 활력징후 측정이 필요한 경우 ✅ 기출 '18

① 입원 시
② 의사의 지시로 정규적 절차인 경우
③ 의료기관이나 건강기관에 방문한 경우
④ 가정방문하여 대상자를 사정할 경우
⑤ 수술 전·후 및 침습적 시술 전·후
⑥ 심혈관계나 호흡기능에 영향을 주는 약물 투여 전·후
⑦ 전신적 상태가 갑자기 나빠진 경우
⑧ 환자가 이상 증상을 보이거나 신체적 고통을 호소할 경우

필기 키워드

Q 성인의 정상 체온은?

A 성인의 경우 36.1 ~ 37.2℃가 정상 체온이다.

❷ 체온(Temperature)

(1) 체온 측정 부위 ✅기출 '17 '12

① 구강 : 쉽게 측정이 가능한 구강의 설하 부위에 측정한다.

TIP 측정 금지 대상

신생아 · 경련 · 무의식 · 협조가 되지 않는 환자

② 직장 : 가장 신뢰성 있는 측정 부위이다.

TIP 측정 금지 대상

신생아 경우 천공주의, 직장수술 · 설사 환자 · 심장 질환자

③ 액와 : 측정이 쉬우며 신생아들의 체온 측정에 우선적으로 적용한다.

TIP 측정 금지 대상

광범위한 화상환자

④ 고막 : 체온조절 중추가 있는 시상하부와 동일한 동맥으로부터 혈액을 공급받고 있어 심부체온 측정에 가장 좋은 부위이다. 단, 대기 온도나 귀의 상태에 따라 정확도가 떨어지므로 주의해야 한다.

⑤ 이마 : 영아와 어린이들에게 많이 사용하며, 침해적인 측정이 필요 없어 세균이나 오염의 전파를 예방할 수 있다.

TIP 체온 측정 기구

전자체온계, 고막체온계, 화학적 체온감지기, 일회용 체온감지 테이프 등이 있다.

(2) 체온에 영향을 주는 요인

① 상승 : 단기 운동 직후, 스트레스, 호르몬의 영향을 받는다.

② 하강 : 연령에 영향을 받는다. 특히 노인은 기초대사율이 감소하여 체온조절 능력이 저하된다.

(3) 체온 유지

① 정의 : 중추신경계의 시상하부에서 체온의 변화를 감지하고 열 생산과 열 소실을 조절하여 일정하게 정상 범위의 체온을 유지할 수 있도록 한다.

② 열 생산
- 기초대사율 : 생명유지를 위한 최소한의 에너지 대사량으로, 기초대사율이 올라가면 열 생산도 증가한다.
- 근육운동 및 전율 : 근육활동이 증가할수록 열 생산이 증가하고, 골격근의 떨림과 오한은 전율기전을 통해 체열을 높인다.
- 갑상샘 호르몬 : 포도당 및 지방의 분해가 늘어나면 기초대사율이 증가하고 열이 생산된다.
- 교감신경 : 교감신경계의 활성은 기초대사율을 증가시키고 간과 근육조직을 자극하여 글리코겐을 분해한다. 이때, 열이 발생한다.

③ 열 소실
- 방사 : 외부 환경보다 체온이 높으면 열이 신체로부터 방사되는데, 전체 열 소실량의 60%가 방사를 통해 잃게 된다.
- 전도 : 직접 접촉을 통해 다른 물질로 열이 이동하는 현상이다.
- 대류 : 기체나 액체의 흐름을 통해 열이 전달되는 현상이다.
- 증발 : 폐, 피부, 구강점막 등을 통해 수분이 증발되어 열 소실이 발생한다.

(4) 고체온

① 정의 : 열피로가 심한 발한을 말한다. 신체가 수분을 다량 손실하였을 때, 순환 장애를 가져와 빈맥, 호흡곤란, 저혈압을 초래한다.

② 열경련 : 격한 활동으로 인한 심한 발한이 염분 균형 장애를 가져와 골격근의 극심한 통증과 간헐적 경련을 유발한다.

③ 열사병 : 체온이 40.5℃ 이상 지속적으로 유지될 때 시상하부가 과열되어 체온조절기능을 상실하고 발한이 없어지며 현기증, 복통, 망상, 전해질 상실, 쇼크 증상이 나타난다.

(5) 저체온 ◎기출 '14

① 인위적 저체온 : 약물, 냉담요를 사용하여 중심체온을 30 ~ 32℃까지 서서히 낮추는 것을 말한다. 오랜 시간 동안 조직 손상 없이 생기를 유지할 수 있다.

② 비의도적 저체온 : 사고 등으로 인해 추위에 노출되어 정상 체온 이하로 떨어진 상태를 말한다.

③ 동상 : 피부표면이 널 성도도 극토고 심한 추위에 노출되었을 때 발생한다.

(6) 열요법 ✅기출 '20

① 효과

- 세포 신진대사를 증진시켜 조직의 산소 요구량을 증가시킨다.
- 식균작용을 증가시켜 화농작용을 촉진한다.
- 근육 이완, 근육 경련 완화로 관절 강직을 감소시키고 통증을 완화시킨다.

② 금지

- 심혈관계, 말초 혈관 장애, 국소적 악성 종양, 감각 장애 등을 가진 환자에게 금지한다.
- 출혈, 개방된 상처, 심한 염증과 고환은 피한다.

③ 적용

- 더운물 주머니 : 고무주머니에 더운물을 넣어 적용한다. 직접적으로 환부에 닿는 경우 화상 위험성이 있으므로 수건으로 감싸야 한다.
- 전기패드 : 젖은 드레싱을 한 환자에겐 적용하지 않는다.
- 온습포 : 거즈나 타월 등에 더운물을 적셔 적용한다.

(7) 냉요법

① 효과

- 피부와 조직의 온도를 낮춰 혈관을 수축한다.
- 세포 대사를 감소시켜 조직의 산소 요구량을 감소시킨다.
- 염증과 근육 경련을 감소시킨다.
- 근육 경련과 관련된 통증을 완화시킨다.

② 금지 : 개방된 상처나 감각 장애 등을 가진 환자에게는 금지한다.

③ 적용

- 얼음주머니 : 고무주머니 등에 얼음을 넣어 적용한다.
- 냉습포 : 통증과 국소 부종 완화를 위해 거즈나 타월에 차가운 물을 적셔 적용한다.
- 미온수 목욕 : $27 \sim 34℃$로 목욕하는 것으로, 체온을 빨리 내릴 때 사용한다.

(8) 발열 단계 ✅기출 '19

① 오한기
- 시상하부의 온도기준점에 도달하기 위해 열 생산 기전이 가동되어 추위와 오한을 경험하는 것을 말한다.
- 혈관 수축으로 피부는 차고 창백해진다.
- 맥박은 빨라지며, 호흡은 가빠진다. 수분 소실이 증가되어 갈증을 느낀다.

② 발열기
- 상승한 지정 온도점에 도달하여 체온이 유지되는 상태이다.
- 대사활동으로 잃은 수분은 충분히 보충하고 산소 요구량 증가 활동은 자제한다.
- 열을 방치하면 뇌 신경세포를 자극하여 안절부절못하거나 지남력을 상실한다.
- 혼돈, 섬망, 경련 및 권태감, 무기력, 근육통을 유발한다.

③ 해열기
- 시상하부의 지정 온도점이 떨어져 열 소실 기전이 일어나는 상태이다.
- 혈관 확장으로 피부가 상기되고 따뜻해진다.
- 심한 발한으로 인해 탈수와 수분 결핍이 발생하기도 한다.

3 맥박(Pulse) ✅기출 '20

(1) 정의
좌심실 수축에 의해 말초동맥에서 촉진되는 혈관의 박동을 말하며 1분 동안 감지되는 박동수를 맥박수(PR), 1분 동안 심장에서 나가는 혈액량을 심박출량(CO)라고 한다.

TIP 심박출량(CO) = 심박동수(HR) × 일회박출량(SV)

(2) 맥박 측정 부위 및 기구
① 부위 : 측두 동맥, 총경동맥, 심첨 부위, 상완 동맥, 요골 동맥, 척골 동맥, 대퇴 동맥, 슬와 동맥, 후경골 동맥, 족배 동맥
② 기구 : 청진기, 도플러 초음파 청진기

(3) 맥박에 영향을 주는 요인

① 상승 : 심한 운동, 체온 상승, 약물 사용(Epinephrine), 출혈, 스트레스의 영향을 받는다.

② 하강 : 연령 증가, 운동선수, 약물 사용(Digitalis)의 영향을 받는다.

TIP 맥박의 강도

점수	구분	내용
0	absent pulse	• 맥박 없음 • 촉진이 안 되는 상태
1+	thready pulse	• 아주 약한 맥박 • 맥박이 매우 약하게 촉진되는 상태 .
2+	weak pulse	• 약한 맥박 • thready pulse보다는 강하나 여전히 쉽게 소실되는 상태
3+	normal pulse	• 정상맥 • 쉽게 촉진되나 압력이 가해지면 소실되는 상태
4+	bounding pulse	• 도약 맥박 • 강하게 촉진되며 웬만한 압력에도 소실되지 않는 상태

(4) 비정상 맥박

① 서맥 : 60회/분 이하로 정상 범위보다 낮은 경우이다.

② 빈맥 : 100회/분 이상으로 정상 범위보다 많은 경우이다.

③ 부정맥 : 불규칙한 박동수를 가지는 경우이다.

TIP 맥박결손

요골 맥박이 불규칙 할 때 두 명의 간호사가 심첨 맥박과 요골 맥박을 동시에 측정할 수 있는데, 이때 심첨 맥박수와 요골 맥박수가 10회 이상 차이가 나는 것을 말한다. 심수축력이 좋지 않아 말초 동맥까지 맥박을 충분히 공급하지 못하는 것을 의미한다.

관련 기사

맥박·걸음걸이·체온·목소리 측정이 가능한 패치센서 개발

광운대에서는 나노 공정기술로 인체의 맥박, 목소리, 걸음걸이, 체온을 측정하고 모니터링하는 패치센서를 개발하였다. 이 기술은 웨어러블 스마트 의료, 헬스케어 등 폭넓게 활용이 가능한 핵심 기술이다.

☑ 이렇게 물어볼 수 있어요!

　4차 산업혁명 관련 웨어러블 의료기기는 무엇이 있는지 설명해보시오.

④ 호흡(Respiration)

(1) 호흡에 영향을 주는 요인

① 상승 : 스트레스, 열, 운동, 흡연, 고지대의 영향을 받는다.

② 하강 : 진정제 및 마약성 진통제 사용, 뇌손상(뇌 간 장애)의 영향을 받는다.

> **필기 키워드**
>
> ⑩ 호흡상승에 영향을 주는 요인은?
>
> Ⓐ 스트레스, 열, 운동, 흡연, 고지대 등의 영향을 받는다.

(2) 호흡 양상 그래프

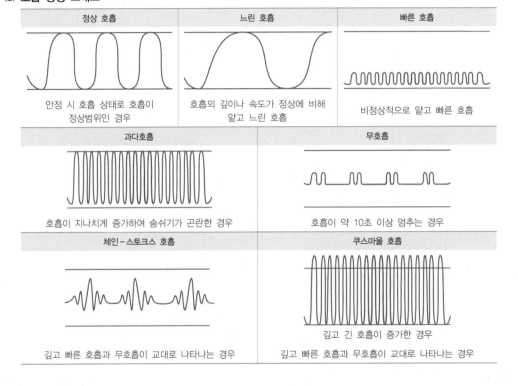

정상 호흡	느린 호흡	빠른 호흡
안정 시 호흡 상태로 호흡이 정상범위인 경우	호흡의 깊이나 속도가 정상에 비해 얕고 느린 호흡	비정상적으로 얕고 빠른 호흡

과다호흡	무호흡
호흡이 지나치게 증가하여 숨쉬기가 곤란한 경우	호흡이 약 10초 이상 멈추는 경우

체인-스토크스 호흡	쿠스마울 호흡
	깊고 긴 호흡이 증가한 경우
깊고 빠른 호흡과 무호흡이 교대로 나타나는 경우	깊고 빠른 호흡과 무호흡이 교대로 나타나는 경우

5 혈압(Blood Pressure)

(1) 혈압과 맥압 ✔기출 '19 '17 '16

① 혈압 : 심장에서 혈관벽을 향해 혈액이 흐르는 힘을 말한다.

TIP 혈압 측정 기구

LED 혈압계, 전자 혈압계, 아네로이드 혈압계 등이 있다.

② 맥압(Pulse Pressure) : 수축기와 이완기 압의 차이를 말한다.

(2) 혈압에 영향을 주는 요인 ✔기출 '21

① 상승 : 완경기 여성과 교감신경 자극, 급성 통증, 신체 운동, 비만의 영향을 받는다.

② 하강 : 약물 사용(이뇨제 및 항고혈압제)의 영향을 받는다.

(3) 혈압 측정 시 오류가 발생하는 경우 ✔기출 '23 '22

혈압량	오류 발생 상황
증가	• 좁은 커프를 사용하거나 커프를 느슨히 감은 경우, 압을 너무 천천히 빼는 경우 • 운동이나 활동 직후나 팔이 심장보다 낮은 경우 • 팔을 제대로 지지하지 않은 경우
감소	• 넓은 커프를 사용하거나 압을 빨리 푸는 경우 • 팔이 심장보다 높은 경우

TIP 혈압 측정 시 압을 빨리 풀 경우 수축기 압은 낮고 이완기 압은 높게 읽힌다.

📋 **관련 기사**

얼굴만 보여줘도 혈압 측정 가능해..

스마트헬스케어 기기에 얼굴을 대고 있자 체온, 혈압, 심박수 등을 측정할 수 있는 정보통신 기술이 활용되고 있다. 고혈압은 스트레스, 약물, 음식, 자세 등 다양한 요인에 변화가 있는 질환으로 병원에서 측정할 때와 병원 밖에서 측정할 때 정확한 판단이 어려운 경우가 잦다. 이러한 이유로 자가혈압 측정이 중요해 지고 있기에 개발되고 있는 기술이 고혈압 측정에 편리함을 줄 수 있을지 이목을 끌고 있다.

☑ 이렇게 물어볼 수 있어요!
혈압측정에 오류를 방지하기 위한 방법에 대해서 말해보시오.

CHECK 실제 면접장에서 이렇게 물어본다 !

* **2022 | 서울의료원** 혈압측정 시 오류가 발생하는 경우에 대해서 말해보시오.
* **2021 | 은평성모병원** 사람이 어떤 때에 혈압이 높아지거나 낮아지는지 말해보시오.
* **2020 | 동아대** 열요법의 효과를 말해보시오.
* **2020 | 인제해운대백병원** 맥박은 어디서 측정하는지 말해보시오.
* **2019 | 양산부산대** 혈압을 측정하면 안 되는 부위를 말해보시오.
* **2017 | 아주대** 아이와 성인의 체온계 방향과 그 이유를 말해보시오.
* **2016 | 인하대** 상완에 퍼프를 재면 안 되는 환자를 말해보시오.
* **2014 | 서울성모** 저체온 증상에 대해 말해보시오.
* **2012 | 아주대** 아이와 성인의 고막체온 측정 차이점을 말해보시오.

관련 의학용어 알고가기

✔	약 어	용 어	의 미
✓	TPR	temperature, pulse, respirations	체온, 맥박, 호흡
✓	BP	blood pressure	혈압
✓	SOB	short of breath	가쁜 숨
✓	CTA	clear to auscultation	청진 시 깨끗함
✓	WNL	within normal limit	정상 범위 내
✓	CBR	complete bed rest	절대 안정
✓	R	respiration	호흡
✓	stat	immediately	즉시
✓	F	Fahrenheit	화씨
✓	C	celsius	섭씨
✓	pt	patient	환자
✓	RX	treatment	처방
✓	prep	preparation	준비
✓	GHWT	good handwashing technique	올바른 손 씻기 기술
✓	noc	night	밤

감염관리

학습
목표

1. 감염병 전파 경로에 대해 설명할 수 있다.
2. 무균법을 구분하여 설명할 수 있다.
3. 격리예방지침에 대해 설명할 수 있다.

기출 키워드 | ☐ 비말감염 ☐ 접촉주의 ☐ 손 위생 ☐ 무균법 ☐ 역격리 ☐ 감염병 예방지침

❶ 감염

(1) 정의 및 주요 미생물

① 정의 : 병원체인 미생물이 동물이나 식물의 몸 안에 들어가 증식하는 것을 말한다.

② 주요 미생물 : 박테리아, 바이러스, 곰팡이, 원생동물 등이 있다.

TIP 병원감염

입원 당시에는 증상 및 잠복기가 없던 감염이 입원한 지 48시간 이후나 퇴원 후에 발생한 경우를 말한다.

(2) 감염병

① 세균, 스피로헤타, 리케차, 바이러스, 진균, 기생충과 같은 여러 병원체에 의해 발병한다.

② 병원체에 의한 감염은 음식의 섭취, 호흡에 의한 병원체의 흡입, 다른 사람과의 접촉 등 다양한 경로를 통해 발생한다.

③ 제1급감염병, 제2급감염병, 제3급감염병, 제4급감염병, 기생충감염병, 세계보건기구 감시대상 감염병, 생물테러감염병, 성매개감염병, 인수(人獸)공통감염병 및 의료관련감염병 등이 있다.

(3) 감염 단계

① 1단계(잠복기) : 신체 침입한 시간과 감염 증상이 나타나는 시간 간격을 말한다. 병원체는 이 기간에 성장과 증식한다.

② 2단계(전구기) : 질병 초기 징후를 말하며 미열, 피로, 권태감 등의 비특이적 반응이 나타난다. 사람의 경우 이 시기에 가장 많은 감염이 발생한다.

③ 3단계(질병기) : 특이한 징후와 증상이 발현하는 시기이다. 감염의 종류에 따라 질병 기간, 증상, 중증도 등이 발생한다.

④ 4단계(회복기) : 감염에서 정상 상태로의 회복하는 기간을 말하며 중증도나 환자의 일반적 상태에 따라 다르게 발생한다.

법정 감염병 감염자는 줄었지만...

2급 감염병으로 전환한 코로나 19를 제외하고 주요 법정감염병인 A형간염, B형간염, C형간염, 수두, 결핵 등의 감염자 수가 감소하였지만 모기에 의해서 전파되는 급성열성 바이러스에 해당하는 뎅기열 감염자는 증가하였다. 또한 라임병, 말라리아, 카바페넴내성장내세균속균종(CRE), 쯔쯔가무시증 등의 환자도 증가하고 있다. 포스트 코로나 시대에 접어들면서 보건서를 중심으로 상시 감염병 관리를 강화하기 위해서 결핵 발생률 감소를 위한 협력 사업, 모기 · 진드기 매개 감염병과 수인성 감염병 대응을 위한 초동 대응과 감시를 강화할 예정이다. 또한 인수공통감염병 발생에 대응하기 위해서 원헬스 개념으로 범부처 공동 대응체계를 강화한다.

☑ 이렇게 물어볼 수 있어요!
  ＊ 감염병 예방을 위해서 병원에서 해야 하는 것을 말해보시오.
  ＊ 뎅기열에 대해 설명해보시오.

② 전파 경로 및 무균법

(1) 전파 경로 ✅기출 '22

① 접촉주의
  • 직접 경로 : 감염된 사람과의 신체접촉을 통해 다른 사람에게 전파된다.
    예 키스 및 성교
  • 간접 경로 : 오염된 물체와의 접촉을 통해 전파된다.
    예 감염자의 옷이나 의료기구 사용

② 비말주의 : 5μm 이상의 비말에 의해 90cm 이내 사람에게 전파된다.
    예 재채기, 기침, 대화

③ 공기주의 : 5μm 이하의 작은 입자가 공기를 통해 전파된다.
    예 결핵환자

④ 혈액주의 : 감염된 사람의 주사바늘에 찔리거나 혈액이 눈에 튄 경우 전파된다.
    예 B형 간염, C형 간염, HIV

> **필기 키워드**
>
> ⓠ 접촉주의의 전파 경로는?
>
> ⓐ 감염된 사람과의 신체접촉을 통한 직접 경로와 오염된 문체와의 접촉을 통해 전파되는 간접 경로가 있다.

(2) 무균법 ✔기출 '21 '16

구분	내용
내과적 무균법	• 미생물 수를 한정하거나 줄이는 것을 말한다. • '사람으로부터 사람에게'의 전파 위험을 감소시키기 위해 방어벽(개인보호구, 손위생, 기타 차단법 등)을 이용한다. • 의료기관의 규정 표준주의, 전파경로별 주의 숙지 · 사용이 중요하다.
외과적 무균법	• 기구, 물체 및 특정한 부위의 모든 미생물을 사멸시키는 것을 말한다. • 미생물이 없는 물건과 영역을 제공하고 보존하기 위한 방법이다. • 병원균과 아포 포함 미생물 사멸이 필요한 물품은 반드시 멸균처리 한다.

3 손 씻기 ✔기출 '21 '20 '19 '18 '17 '16

병원 감염 예방의 가장 중요한 기본 단계로 효과적 손 씻기는 물과 비누를 사용하여 10 ~ 15 초 이상 씻거나 손 소독제를 이용하여 손을 씻는 것이다.

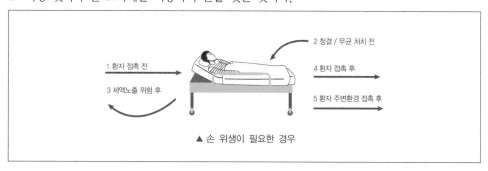

1 환자 접촉 전
2 청결 / 무균 처치 전
3 체액노출 위험 후
4 환자 접촉 후
5 환자 주변환경 접촉 후

▲ 손 위생이 필요한 경우

④ 격리(Isolation)와 역격리 ✅기출 '20 '19 '18 '17 '16

(1) 격리

① 간호 정의 : 환자의 전염병으로부터 타인을 보호하는 것을 말한다.
> 예 VRE(Vancomycin Resistant Enterococcus : 반코마이신 내성 장알균), CRE 등

② 대상 : 환자가 전염성 질환을 가졌을 때 격리시킨다.

③ 간호
- 환자에게 사용되는 물품과 기구는 격리 기간이 끝날 때까지 병실 안에서만 사용한다.
- 가능한 일회용품을 사용하며, 비일회용품 사용 시 이중포장해서 사용한다.

(2) 역격리

① 간호 정의 : 면역력이 약한 환자를 외부 균으로부터 보호하는 것을 말한다.
> 예 ANC 500 이하, 신생아, 화상 등

> TIP ANC(Absolute Neutrophil Count) = 백혈구 수(WBC) × 호중구 백분율(Neutrophil)

② 대상 : 질병이나 상처, 면역억제제의 사용으로 신체 방어력이 감소한 환자에게 필요하다.

③ 간호
- 양압 유지 병실 및 1인실을 사용한다.
- 멸균식이(날음식 제외)를 한다.
- 멸균 혹은 소독된 물품을 사용한다.
- 내과적 무균법 및 보호구를 착용해야 한다.

(3) 코호트 격리

① 간호 정의
- 일정 기간 동안 감염자가 발생한 의료기관을 통째로 봉쇄하는 조치를 말한다.
- 같은 균이 나오는 환자끼리 한 장소에 모아서 격리하는 방법을 말한다.

② 대상 : 동일한 병원체에 노출되거나 감염된 환자군이 외부로 확산하는 것을 막기 위해 필요하다.

③ 간호
- 동일한 병원체에 노출되거나 감염된 환자군끼리 격리시킨다.
- 병상거리 2m를 유지해야 하며 커튼 등을 통해 물리적 차단을 해야 한다.

5 격리예방지침 ☑ 기출 '21 '20 '19 '17 '16 '14 '13

(1) 표준주의(1단계) ☑ 기출 '21

① 가장 기본적인 지침으로 환자의 진단명이나 감염 상태 등에 상관없이 모든 환자를 간호할 때 적용한다.

② 호흡기 위생이나 기침 예절, 손위생을 준수해야 한다.

③ 일회용량 바이알 사용 등의 안전한 주사법을 준수하고 주사 시 일회용 바늘과 주사기를 사용한다.

> **필기 키워드**
>
> **Q** 가장 기본적인 지침으로 모든 환자에게 적용하는 격리법은 무엇인가?
>
> **A** 표준주의

(2) 전파경로별주의(2단계) ☑ 기출 '21

① 공기주의

• 5μm 이하의 작은 비말 공기를 매개로 전파되는 병원균을 차단한다.

　예 폐결핵, 수두, 홍역 등

• 음압병실을 사용하며 시간당 6 ～ 12회 환기를 적용한다.

• 호흡기계 보호구(N95마스크)를 착용해야 한다.

• 꼭 필요한 경우를 제외하고는 환자 이송을 제한하며 이동 시에는 환자에게 수술용 마스크를 착용시킨다.

② 비말주의

• 5μm 이상의 전파되는 병원균을 차단하며, 질병이 있거나 의심되는 환자에게 적용한다.

　예 인플루엔자, 폐렴, 풍진, 유행성 이하선염 등

• 필요시에만 환자의 병실 밖 이동을 허하고 이동 시에는 환자에게 수술용 마스크를 착용시킨다.

• 방문자는 감염자로부터 1m 정도 떨어지게 한다.

• 일회용 마스크를 착용시킨다.

• 1인실 혹은 코호트 격리시킨다.

③ 접촉주의 ☑ 기출 '20

• 직접 또는 간접접촉에 의해 전파되는 병원균을 차단하며, 질병이 있거나 의심되는 환자에게 적용한다.

　예 VRE, CRE, MRSA, 피부(옴), 장티푸스 등

• 1인실 혹은 코호트 격리시킨다.

• 장갑 및 가운 착용이 필요하다.

• 환자에게 사용되는 물품과 기구는 공동으로 사용하지 않으며 격리 기간이 끝날 때까지 병실 안에서만 사용한다.

* 2021 삼성창원 1급 감염병 세 가지를 말해보시오.

* 2021 삼성창원 공기주의 격리법에 대해 설명해보시오

* 2021 한림대한강성심 표준주의에 대해 설명해보시오.

* 2021 성남시의료원 외과적 손 씻기를 해야 할 때는 언제인지 설명해보시오.

* 2021 인하대 음압격리가 무엇인지 말해보시오.

* 2021 인하대 2020 계명대동산 격리 분류 방법에 대해 말해보시오.

* 2021 대구가톨릭대 2020 성균관대삼성창원 손을 씻는 시점에 대해 말해보시오.

* 2020 아주대 2019 인천성모 2018 백병원 2017 울산대 2016 경북대 손 소독과 손 씻기 차이점 및 소요시간, 부위 등 손 위생에 대해 말해보시오.

* 2020 인제대해운대백병원 2019 인하대 2017 인하대 2016 경북대 2012 아주대 격리와 역격리에 대해 설명하고 그 예를 들어보시오.

* 2020 아주대 접촉주의에 해당하는 의학용어를 말해보시오.

* 2020 삼성창원 2020 성균관대 2019 동아대 2017 영남대 2014 아주대 공기매개감염의 대표적인 질환과 예방법을 말해보시오.

* 2020 계명대동산 접촉감염의 대표적인 질환과 예방법을 말해보시오.

* 2020 서울성모 VRE 환자가 38.5℃의 고열이 나는 상황에서 가장 먼저 해야 하는 중재는 무엇인가?

* 2016 성균관대삼성창원 내과적, 외과적 무균법 차이점에 대해 설명해보시오.

* 2016 고신대 복음병원 양압병실과 음압병실에 대해 설명해보시오.

* 2013 신촌세브 비말감염 환자의 증상과 예방법을 말해보시오.

⊘ 주요 질병 및 감염원

✔	질 병	저장소	감염원
✓	결핵	기도	결핵균(mycobacterium tuberculosis)
✓	균혈증	피부	표피 포도알균(staphylococcus)
✓	A형 간염	대변	A형 간염바이러스(hepatitis A virus)
✓	B형 간염	혈액, 체액, 배설물	B형 간염바이러스(hepatitis B virus)
✓	C형 간염	혈액, 체액, 배설물	C형 간염바이러스(hepatitis C virus)
✓	식중독	피부, 인후, 입, 코	황색 포도알균(staphylococcus aureus)
✓	위장염	대장	대장균(escherichia coli)
✓	후천성면역결핍증	혈액, 정액, 질액	사람면역결핍바이러스(HIV)
✓	폐렴	피부, 구강, 생식기계	칸디다 알비칸스(candida albicans)
✓	패혈증	피부, 구강, 먼지, 내장	아스페르길루스(aspergillus)

CHAPTER 04 상처 간호

출제빈도 ●●●●● | 학습결과 ☺☺☺

학습목표
1. 상처 치유 단계에 대해 설명할 수 있다.
2. 상처 드레싱의 종류를 구분하여 설명할 수 있다.
3. 욕창의 단계 및 간호에 대해 설명할 수 있다.

기출 키워드 | ☐ 염증기 ☐ 하이드로 겔 ☐ 욕창 호발 부위 ☐ 욕창 간호

1 상처 치유 단계

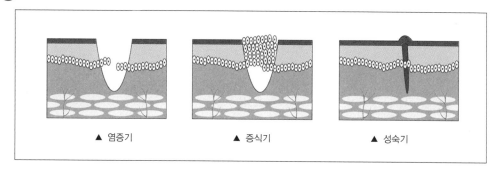

▲ 염증기   ▲ 증식기   ▲ 성숙기

(1) 염증기

① 지혈과 혈관 및 세포의 염증 과정이다.

② 혈소판이 활성화되고 응집하여 지혈을 할 때 백혈구가 상처 부위로 이동하고 상처를 치유하는 과정에서 부종, 발열 등이 발생한다.

③ 손상 후 즉시 시작되어 3 ~ 4일간 지속된다.

(2) 증식기

① 손상된 지 2 ~ 3일 안에 시작된다.

② 섬유아세포의 작용을 통해 새로운 조직이 생성된다. 이때, 상피세포층이 상처 위에 형성되고 상처에 혈액 흐름이 다시 생긴다.

(3) 성숙기

① 부상 후 약 3주 후에 시작된다.

② 교원질이 상처를 인접한 조직처럼 강하고 비슷하게 만드는데, 이때 흉터가 생성된다.

TIP 상처 분류

구분	내용
피부 파열	개방 상처, 폐쇄성 상처
상처 깊이	표재성 상처, 심부 상처, 복합상처
상처 모양	타박상, 찰과상, 절개상, 열상, 자상, 관통상
원인	의도적 상처, 비의도적 상처

❷ 상처 드레싱

(1) 거즈(Gauze)

① 상처에 거의 자극 없는 침투성 드레싱이다.

② 배액이 적고 감염으로 괴사한 상처 등에 사용한다.

(2) 투명 필름드레싱(Transparent Film)

① 산소가 통과할 수 있는 얇고 투명한 막으로 되어있다.

② 삼출액이 적은 상처에서 1차로 드레싱한다.

③ 중심 정맥 라인드레싱과 1단계 욕창에서 사용한다.

(3) 하이드로콜로이드(Hydrocolloids)

① 흡수성 폐쇄드레싱이다.

② 삼출물이 겔 형태로 변화하며, 육아조직 및 상피조직을 재생한다.

③ 2 ~ 4단계 욕창 등에서 사용한다.

(4) 하이드로 겔(Hydro - Gels)

① 삼출물을 흡수하고 괴사조직을 용해한다.

② 상처 부위에 수분 제공하고 사강을 채워준다.

③ 욕창, 티눈, 수술 상처 등에 사용한다.

> **필기 키워드**
>
> **Q 하이드로콜로이드의 특징은?**
>
> **A** 흡수성 폐쇄드레싱으로 삼출물이 겔 형태로 변화하여 육아조직 및 상피조직을 재생하며 욕창에 사용한다.

(5) 폴리우레탄 폼(Polyurethane Foams)

① 산소는 통과하고 물은 통과하지 못하여 상처 표면에 수분을 제공한다.

② 삼출물이 되는 상처, 욕창, 티눈 등에 사용한다.

3 욕창(Decubitus Ulcer, Bed Sore, Pressure Sore)

(1) 욕창

① 정의 : 뼈 돌출 부위에 있는 부드러운 조직이 압력에 의해 조직괴사가 일어난 상태이다.

② 호발 부위 : 천골, 대전자, 척추극상돌기, 무릎, 전면경골능, 후두골, 복사뼈, 발뒤꿈치 등에 발생한다. ✅기출 '21 '20 '19

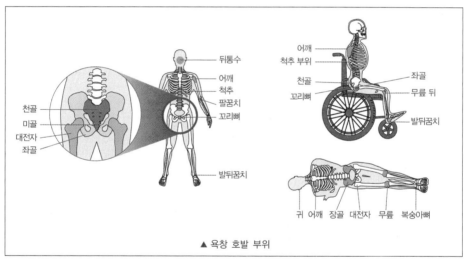

▲ 욕창 호발 부위

(2) 욕창의 위험요소 ✅기출 '21 '17

① 외부 압력 : 조직에 지속적으로 압력이 가해지면서 혈류가 차단되어 발생한다.

② 마찰과 응전력

• 마찰(Friction) : 두 표면이 서로 반대로 비벼질 때 발생한다.

• 응전력(Shearing Force) : 마찰과 중력에 의해 생긴 물리적인 힘으로, 피부 밑 조직 세포의 혈액순환을 감소시킨다.

③ 부동 : 한 자세로 오래 누워 있거나 앉아 있게 되면 부동으로 압박이 가해진다.

④ 부적절한 영양 : 영양이 결핍된 세포는 쉽게 손상을 받게 된다.

⑤ 피부 습기·온도 : 습기는 외상에 대한 저항력을 떨어뜨리며 온도는 세포의 산소 요구량을 증가시킨다.

TIP 욕창위험사정도구

구분	내용
Braden 도구	감각인지, 습기 정도, 활동상태, 가동성, 영양상태, 마찰 및 전단력
Norton 도구	신체상태, 의식상태, 활동상태, 가동성, 실금
Waterlow 도구	식욕, 체질량, 피부, 성별 및 연령, 영양상태, 기동성, 자제력, 조직의 영양부족 정도, 신경학적 결손, 수술 및 외상, 약물 복용

(3) 욕창의 단계 ✅기출 '21 '20 '19

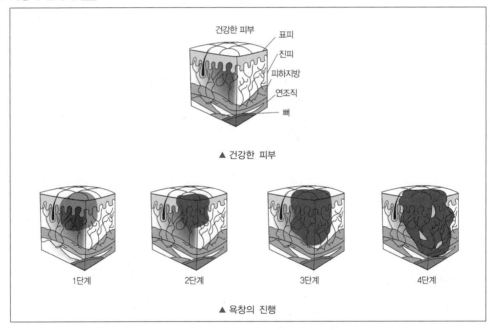

▲ 건강한 피부

▲ 욕창의 진행

① 1단계 : 발적은 있으나 피부손상은 없으며 홍조를 띈다.

② 2단계 : 표피와 진피를 포함하여 벗겨지거나 수포, 얕은 궤양과 같은 부분적인 피부손상이 있다.

③ 3단계 : 심부 피부조직이 손실되어, 건막에 가까운 깊은 진피손상과 조식괴사가 발생한다.

④ 4단계 : 조직괴사, 근육, 뼈, 지지조직 심부 피부조직이 광범위하게 손상된다.

(4) 욕창 간호 ✅ 기출 '23 '22 '21 '20 '16 '15

① 2시간마다 체위 변경이 필요하다. 이때, 끌기 보다는 들어 올려야 한다.

② 뼈 돌출 부위 체중 경감을 위해 베개를 사용한다.

> **TIP** 도넛베개는 국소 압력을 증가시키므로 사용을 금지하며, 뼈 돌출 부위의 마사지도 금지한다.

③ 실금 및 상처의 습기로부터 피부를 보호해야 한다.

④ 에어매트리스를 적용하여 신체부위 압박을 완화시킨다.

⑤ 고단백, 고비타민을 공급한다.

⑥ 욕창 발생 시 삼출물을 흡수하는 드레싱 제제를 사용하여 소독을 시행한다.

⑦ 욕창이 심한 경우, 필요에 따라 피부 이식을 진행한다.

> **필기 키워드**
>
> ⑩ 욕창 발생에 영향을 미치는 요인은?
>
> ⓐ 외부 압력, 마찰, 부동, 피부 습기 및 온도, 부적절한 영양 등

(5) 욕창 예방법 ✅ 기출 '22 '21

① 매일 뼈융기 부분을 주의하여 관찰한다. 이때 마사지는 하지 않는다.

② 일상적으로 오염이 일어난 피부는 깨끗이 씻으며 순한 세척제를 사용하여 마찰을 최소화하고 따뜻한 물은 피한다.

③ 환경을 건조하게 유지하되 건조한 피부는 보습제를 발라주고 실금증상 관련 수분에서 피부를 보호하고 상처 배액물에 노출되지 않게 한다.

④ 적절한 자세 변경, 이동 방법을 준수하며 마찰, 엇밀림을 주의하고 이동성과 활동성 향상을 노력한다.

⑤ 단백질, 칼로리 섭취에 대해 사정하며 적절한 지지면을 사용하도록 한다.

코로나19 이후 늘어나는 욕창환자

신체 어디부위에서라도 발생할 수 있는 욕창은 피부가 썩거나, 합병증에 의해 사망할 수 있는 질병이다. 코로나19 이후에 면회 허용이 되면서 욕창을 앓고 있는 환자가 급격하게 늘어났다. 욕창을 예방하기 위해서 체위 변경을 2시간마다 진행해야 한다. 또한 치매환자에게 합병증으로 욕창이 있으므로 욕창 예방을 위한 간호를 위해 통풍, 드레싱 교체 등으로 편안함을 제공하여야 한다.

☑ 이렇게 물어볼 수 있어요!
　＊ 욕창의 원인과 간호를 말해보시오.
　＊ 욕창이 발생하는 원인을 말해보시오.

CHECK 실제 면접장에서 이렇게 물어본다 ! ●━━━

＊ 2022 | 서울의료원 욕창이 발생하는 원인에 대해서 말해보시오.

＊ 2022 | 인하대 욕창 사정 도구와 점수 판정에 대해 말해보시오.

＊ 2021 | 인하대 욕창 점수가 몇 점 이상 시 고위험군에 속하는지 말해보시오.

＊ 2021 | 인하대 욕창 예방법에 대해 말해보시오.

＊ 2021 | 강릉아산 2021 | 강동경희대 욕창 단계에 대해 설명해보시오.

＊ 2020 | 계명대동산 욕창 간호에 대해 말해보시오.

＊ 2020 | 순천향서울 욕창의 사전적 정의를 말해보시오.

＊ 2020 | 성균관대삼성창원 양와위일 경우 욕창의 호발 부위를 말해보시오

＊ 2020 | 인제대해운대백병원 어떤 환자에게 욕창 발생률이 높은지 말해보시오.

＊ 2020 | 인제대해운대백병원 2016 | 삼성서울 2016 | 경북대 2016 | 중앙보훈 욕창의 단계와 단계별 치료 간호에 대하여 말해보시오.

＊ 2019 | 동아대 욕창 발생 부위 체위당 세 군데 이상 말해보시오.

＊ 2016 | 서울대 2014 | 부산대 욕창이 호발 부위와 예방간호에 대해 말해보시오.

투약

출제빈도 ●●●●● | 학습결과 ☺☺☹

**학습
목표**

1. 투약의 원칙을 설명할 수 있다.
2. 주사 부위를 구분할 수 있다.

기출 키워드 | ☐ 투약의 원칙 ☐ 경구 투약 ☐ 인슐린 주사 ☐ 근육주사 ☐ 수혈

1 투약의 기본 원칙

(1) 투약의 원칙 ✅ 기출 '21 '19 '18 '17 '16 '15 '13

① 목적 : 질병예방, 건강증진, 질병회복을 목적으로 한다.
② 투약의 기본 원칙(5Right) : 정확한 대상자명(Right Client), 정확한 약명(Right Drug), 정확한 용량(Right Dose), 정확한 경로(Right Route), 정확한 시간(Right Time)

TIP 6R, 7R

구분	내용
6R	정확한 교육(Right Teaching)
7R	정확한 기록(Right Document)

(2) 투약의 종류

① 국소적으로 작용시키는 방법으로서 도포 · 흡입 · 삼킴 등이 있다.
② 전신을 순환해서 작용시키는 방법으로서 내복 · 주사 · 도포 등이 있다.

(3) 안전한 약물 준비

① 밝은 조명 아래에서 약물을 준비한다.
② 약을 확인할 때 반드시 세 번 확인하도록 한다.
  • 약장에서 약 꺼낼 때
  • 약물을 준비할 때
  • 약장에 약을 다시 넣을 때
③ 유효기간을 반드시 확인한다.

필기 키워드

ⓠ 투약의 기본 원칙(5R)은?

ⓐ 정확한 대상자명(Right Client), 정확한 약명(Right Drug), 정확한 용량(Right Dose), 정확한 경로(Right Route), 정확한 시간(Right Time)

TIP 약물 오남용

- 약물 오용(Drug Misuse) : 부적절한 약물 사용으로 급, 만성의 독성을 초래한 경우이다.
- 약물 남용(Drug Overdose) : 처방되지 않은 부적절한 약물 사용이 지속되는 경우이다.
- 약물 의존성(Drug Dependence) : 약물을 복용하고자 하는 강한 의존심을 말한다.
- 약물 습관성(Drug Habituation) : 가벼운 형태의 정서적 의존을 말한다.

② 경구 투약

(1) 경구 투약 방법

① 투약 전 약물이 들어있는 약포지와 투약 카드, 투약 원칙을 확인한다.

② 개방형 질문으로 환자를 확인한 다음 입원 팔찌와 대조하여 환자를 확인한다.

③ 약물 투여의 목적 및 절차, 주의사항을 설명해야 한다.

④ 체위는 파울러 자세(Fowler's Position)를 취하며, 금지인 경우 측위를 취한다.

⑤ 연하곤란 여부를 확인하기 위해 침 또는 물을 한 모금 삼켜볼 수 있도록 한다.

⑥ 알약은 한 번에 한 알씩 복용하고 알약 복용 후 물약을 복용하게 한다.

⑦ 손을 씻은 후 수행한 결과를 기록한다.

TIP 경구 투약

구강, 볼 점막, 설하에 투여한다.

(2) 장 · 단점

① 장점

- 가장 단순하고 경제적이다.
- 부작용이 적다.
- 국소적 혹은 전신적 효과를 나타낸다.

② 단점

- 치아 및 점막에 자극을 주는 경우도 있다.
- 오심 또는 구토, 흡인 위험이 있으며 금식 환자에게는 적용할 수 없다.

> **필기 키워드**
>
> **Q** 약물 흡수가 가장 빠른 것과 가장 느린 것은 무엇인가?
>
> **A** 약물 흡수가 가장 빠른 것은 정맥주사이며 가장 느린 것은 경구 투약이다.

(3) 간호 ✅기출 '16 '14

① Digitalis제제 투여 전 반드시 맥박수를 사정한다. 이때, 맥박수가 60회/분 미만인 경우 투약을 중단하고, 의사에게 보고한다.

② 혈압강하제를 투여하기 전 혈압을 측정한다.

③ 마약은 호흡중추를 억제하므로 투여하기 전에 호흡수를 사정한다.

④ 염산제제는 치아 에나멜 층을 손상시키거나 구강 점막을 자극하므로 희석하여 투약해야 한다.

⑤ 철분제제는 치아를 착색시키므로 빨대를 사용하여 복용시킨다.

⑥ 비타민C는 철분의 흡수를 도우므로 함께 복용하는 것이 좋다.

⑦ 철분제제 복용 시에는 대변이 까맣게 나올 수 있음을 교육한다.

⑧ 불쾌한 맛의 약은 거부감을 주므로 투약 전에 얼음 조각을 제공하여 미각을 둔화시킨다.

⑨ 가능하다면 주스와 함께 복용시킨다.

TIP 흡인 예방을 위한 간호중재

- 가능하면 경구 복용은 스스로 수행하도록 한다.

- 과일 넥타와 같은 농도가 진한 음료와 함께 섭취하며, 한 번에 한 알씩 복용시킨다.

- 빨대는 흡인의 위험으로 권장하지 않으며 가능한 식사시간에 맞춰 진행한다.

CHECK 실제 면접장에서 이렇게 물어본다 !

✳ 2021 | 인하대 2021 | 충북대 2021 | 강동경희대 2021 | 영남대 5R에 대해 설명해보시오.

✳ 2014 | 이화여대 경구 투약 간호중재에 대해 말해보시오.

③ 비경구 투약

(1) 정의 및 경로

① 정의 : 주사를 이용하여 피하(SQ), 근육 내(IM), 정맥 내(IV), 피내(ID) 등에 약물을 주입하는 것을 말한다.

② 경로 : 피하주사(SC), 근육주사(IM), 정맥주사(IV), 피내주사(ID)가 있다.

> **TIP** 약물 흡수 속도
> 정맥주사 → 근육주사 → 피하주사 → 피내주사 → 경구 투여

(2) 장·단점

① 장점
- 약물 흡수가 빠르다.
- 경구 투여가 불가능한 대상자, 의식이 불분명한 대상자에게 투여가 가능하다.

② 단점
- 감염, 공기 색전, 조직손상 발생 가능성이 있다.
- 가격이 비싸다.

> **필기 키워드**
>
> ⓠ 비경구 투약의 단점은?
> ⓐ 감염, 공기 색전, 조직손상 발생 가능성이 있으며 가격이 비싸다.

(3) 비경구 투약 시기

① 구강 섭취 불가 시 투여한다.

② 신속한 약물 반응 필요시(응급상황) 투여한다.

③ 위의 효소에 의해 파괴되는 약물 적용 시 투여한다.

④ 지속적 혈중 농도 유지 필요시(부정맥 치료제) 투여한다.

⑤ 경구약물 형태로 조제 불가 시 투여한다.

(4) 주의사항

① 투여 시 양, 신체 크기, 약 종류, 용액의 점성도 등을 고려해야 한다.

② 대상자는 잠재적 감염상태로 고려한다.

③ 멸균, 장갑 등 보호장구를 착용한다.

④ 주사 바늘을 통해 투약하므로 무균술을 적용한다.

⑤ 날카로운 도구에 찔리지 않도록 한다.

④ 피하주사

(1) 정의 및 특징

① 정의 : 피부 아래 진피와 근육 사이에 있는 피하조직에 소량의 약을 직접 주사하는 것을 말한다.

② 특징 : 인슐린이나 헤파린 등을 투여하고 일반적으로 30분 이내에 작용한다.

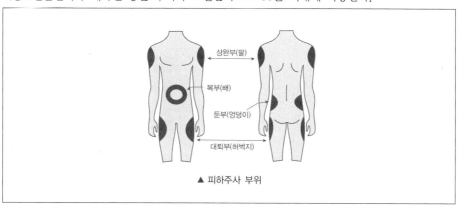

▲ 피하주사 부위

(2) 피하주사 장·단점

① 장점

- 혈액순환이 잘되면 약물이 조직 속으로 흡수가 잘된다. 신체 여러 부위에 주사할 수 있다.
- 무의식, 연하곤란 환자 등에 영향을 받지 않는다.

② 단점

- 주사침으로 인한 피부손상 가능성과 감염의 위험성이 있다.
- 근육주사보다 흡수가 느리다.

(3) 피하주사 방법 ✔기출 '14

① 적절한 주사 부위 선택 후, 알코올로 주사할 부위를 소독한다.

② 피부를 집게손가락으로 들어 올려 잡고 피부 폭의 1/2 정도 되는 깊이까지 바늘 길이를 고려하여 45° 또는 90°로 주사한다.

③ 바늘이 삽입되면 약물을 주입한다.

④ 신속하게 주사바늘을 제거하고 소독 솜으로 살짝 눌러준다.

❺ 근육주사

(1) 주사 방법

① 적절한 주사 부위 선택 후, 알코올로 주사할 부위를 소독한다.

② 피부와 $90°$로 바늘을 찌른 후 Regurge하여 혈액이 나오는지 확인한다.

③ 약물을 서서히 주입하고 바늘은 빠르게 제거한다.

④ 소독 솜으로 주사 부위를 마사지해준다.

(2) 근육주사의 장단점

① 장점

• 경구투여가 어려운 경우 투약이 가능하다.

• 경구 및 피하주사보다 약물의 흡수속도가 빠르다.

② 단점

• 신경 및 혈관 손상 위험이 있다.

• 공기 감염, 색전, 조직손상 위험이 있다.

• 경구 투약보다는 부작용이 빠르다.

(3) Z - track기법

① 목적 : 피하조직에 심한 자극을 주거나 착색시키는 약물 주입 시(페니실린계, 철분제 등) 근육
내로 약물이 주입되는 길을 차단함으로써 조직의 자극을 최소화시킨다.

② 주사 방법

• 주사침을 삽입하기 전, 주사 놓을 피부와 피하조직을 한쪽으로 2.5 ~ 3cm 정도 잡아당긴다.

• 내관을 빼보고 약물을 주입하는 동안에도 계속 피부를 잡아당긴다.

• 약물 주입 후, 약 10초 동안 계속 피부를 잡아당기면 근육 조직이 이완되어 약물이 흡수된다.

• 주사침을 재빨리 빼면서 잡아당겼던 피부를 놓는다.

• 주사 후 다른 조직 속으로 약물이 스며들지 않게 주사 부위는 문지르지 않는다.

(4) 둔부의 배면

① 주사 부위

• 한쪽 둔부를 4등분하여 상외측 부위의 바깥쪽에 주사한다.

• 후상 장골극을 촉진한 후 그 지점으로부터 대전자까지
그은 가상의 선 상외측 부위에 주사한다.

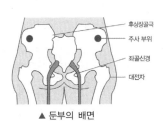

▲ 둔부의 배면

② 장점 : 근육층이 크고 두꺼워 주사 후 불편감이 적다.

③ 단점 : 좌골 신경과 주요 혈관 및 골조직 손상에 주의해야 한다.

TIP 보행 시 발달하는 근육으로 3세 이하 어린이에겐 금지한다.

(5) 둔부의 복면

① 주사 부위 : 간호사의 손바닥을 대전자 위에 올려놓는다. 그 상태에서 집게손가락을 전상 장골능 쪽으로 놓고 가운데 손가락을 넓게 벌린 후 검지와 중지로 형성된 V자 부위에 주사한다.

② 장점 : 주요 신경이나 혈관이 없기 때문에 둔부의 배면보다 지방 조직이 적어 많이 적용한다.

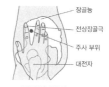

▲ 둔부의 복면

(6) 외측광근

① 주사 부위 : 대퇴 전측방을 3등분 하여 가운데 부분에 주사한다.

② 장점 : 주요 신경이나 혈관을 피할 수 있어 소아와 성인에게 적합하다.

(7) 대퇴직근

① 주사 부위 : 대퇴의 전방에 주사한다.

② 장점 : 환자 스스로 주사가 가능하다.

▲ 외측광근 · 대퇴직근

(8) 삼각근과 삼두근

① 주사 부위 : 상박의 외측면에 주사한다.

② 장점 : 주사용량 1 ~ 2cc까지 가능하며 근육주사 부위 중 흡수속도가 가장 빠르다.

③ 단점 : 근육층이 얇고 요골신경과 요골 동맥이 매우 근접해 있으므로 주의해야 한다.

▲ 삼각근과 삼두근

(9) 근육주사 금지

① 신경 및 골조직의 손상 부위, 화농, 괴사 부위에는 주사하지 않는다.

② 약물이 조직괴사를 일으킬 수 있는 경우에 주사를 금지한다.

③ 동통을 느끼거나 경결 부위가 있는 경우에 주사를 금지한다.

④ 근위축 대상자에겐 주사하지 않는다.

⑥ 정맥주사

(1) 장단점 ✅**기출** '20 '19

① 장점
- 혈관 속으로 약물이 직접 투여되므로 신속한 효과를 기대할 수 있다.
- 지속적으로 약물 주입이 가능하고, 신체에 수분과 전해질, 영양을 제공한다.

② 단점 : 감염 위험성이 높고 빠르고 심각한 반응이 생길 수 있다.

(2) 합병증

① 혈종(Hematoma) : 정맥주사를 제거 후 주사 부위는 압박하며 심장보다 높게 한다. 완전히 지혈될 때까지 같은 사지에 주사하지 않는다.

② 정맥염(Phlebitis) : 정맥주사를 즉시 제거하고 얼음팩을 적용한다.

③ 침윤(Extravasation) : 정맥주사를 즉시 제거하고, 주사 부위를 변경한다.

(3) 주사 부위 및 방법 ✅**기출** '20 '19

① 주사 부위 : 손가락 정맥, 중수 정맥, 요측피정맥, 척측 피정맥, 정중 상완 정맥, 주정중피정맥에 주사한다.

② 주사 방법
- 내과적 무균법을 이용하여 손을 씻는다.
- 주입할 약물 및 수액, 주입 속도 등 처방을 확인한다.
- 환자에게 정맥천자 목적과 방법을 설명한다.
- 주사 부위보다 15 ～ 20cm 위에 지혈대를 묶고 주사할 부위의 피부를 알코올로 안에서 바깥으로 둥글게 소독하고 말린다.
- 다른 한손으로 정맥을 고정시킨 후 30 ～ 45°로 캐뉼라를 잡고 삽입한다.
- 캐뉼라가 혈관에 진입하면 지혈대를 제거하고 Stylet을 제거한다.
- 준비된 수액이나 주사를 연결한다.
- 주사침을 고정하고 적절한 드레싱을 실시한 다음, 삽입 날짜와 시간, 캐뉼라 크기를 기록한다.
- 물품 정리 후 손을 씻는다.

(4) 중심 정맥관(CVC : Central Venous Catheter) ✓기출 '21

① 신체 중심에 위치한 큰 정맥에 삽입하는 카테터로 끝 부분이 상대정맥이나 우심방에 위치한다.

② 쇄골하정맥, 경정맥, 대퇴정맥 등에 삽입한다.

③ 단기간 또는 장기간의 약물 투여를 하기 위함이다.

④ 중심 정맥압(CVP : Central Venous Pressure) 측정을 할 수 있다.

⑤ 잦은 정맥천자로 인한 환자의 불안 및 공포를 감소시킨다.

⑥ 검사를 위한 혈액 채혈을 한다.

CHECK 실제 면접장에서 이렇게 물어본다 ! ●

＊ **2021** 가천대길병원 CVP가 무엇인지 설명해보시오.

＊ **2020** 성균관대삼성창원 IV 유지 중 환자가 주사 부위 통증을 호소하며 일혈을 보이면 어떻게 할 것인지 말해보시오.

＊ **2020** 이화여대 **2019** 인하대 IV의 금기 부위에 대해 말해보시오.

＊ **2017** 아주대 IV를 거듭 실패하였을 경우 어떻게 대처할 것인지 말해보시오.

---

⑦ 피내주사

(1) 목적

알레르기 반응 검사, 투베르쿨린 반응 검사 등 검사 목적으로 이용한다.

(2) 장단점

① 장점 : 약물에 대한 반응을 눈으로 관찰할 수 있다.

② 단점 : 흡수가 가장 느리다.

필기 키워드

Q 피내주사 시 각도는?

A 주사침의 사면이 위로 오도록 한 후에 약 15°로 주사침을 밀어 넣는다.

---

(3) **주사 방법** ✅기출 '14

① 주사 부위 : 전박의 내측면, 흉곽 상부, 견갑골 아래에 주사한다.

② 주사 방법

- 1ml 주사기에 0.9ml의 증류수와 처방된 주사약 0.1ml를 뽑아 희석하여 0.1 ~ 0.3ml 약물을 준비한다. 알레르기 반응 검사 시 병원 규정에 따라 약물을 2 ~ 3회 희석한다.
- 주사 부위 선택 후, 주사 부위 안팎 5cm를 둥글게 소독한다.
- 주사침의 사면이 위로 오도록 한 후, 약 15°로 2mm 정도 진피층을 향해 주사침을 밀어 넣는다.
- 표피 아래 3 ~ 4mm 크기의 작은 물집이 형성되도록 약물을 주입한다.
- 재빨리 주사침을 제거하고 주사 부위는 문지르지 않는다.
- 낭포의 둘레를 표시하고 주사약명과 시간을 기록한다.
- 알레르기 검사는 15분 후 주사 부위를 확인하고, 투베르쿨린 반응 검사 시 48 ~ 72시간 후 확인한다.

③ 양성 반응 : 팽진 직경 10mm 이상이거나 발적 직경이 15mm 이상인 경우 양성으로 판독한다.

8 인슐린 요법

(1) **정의** ✅기출 '21'19

췌장에서 분비되는 인슐린이 부족하거나, 분비되는 인슐린의 작용에 저항성이 있는 경우 혈당이 올라가게 된다. 이를 주사로 투여하여 혈액 내 당의 농도를 일정하게 유지하도록 도와준다.

(2) **종류**

종류	약효 시작 시간	지속 시간	상품명
초속효성 인슐린	15분	2 ~ 4시간	휴마로그pen, 휴마로그
속효성 인슐린	30분	3 ~ 6시간	휴물린알
중간형 인슐린	2 ~ 4시간	10 ~ 16시간	휴물린엔, 휴물린엔pen, 노보렛엔pen
지속형 인슐린	2 ~ 4시간	24시간	란투스pen, 레버미어pen
혼합형 인슐린	15분	24시간	휴물린70/30pen, 노보믹스30pen

(3) **인슐린 주사 부위 선정**

① 신경과 혈관 분포가 적은 곳이나 관절로부터 떨어진 곳을 선정한다.

② 피하 지방층이 두꺼운 복부가 가상 좋다.

③ 임산부 또는 복부 수술 상처가 있는 경우 허벅지나 팔의 바깥쪽에 주사한다.

(4) 주의사항 ✅기출 '21 '19 '18

① Unit 단위로 공급되므로 인슐린 주사기를 사용한다.

② 피하지방 손상 및 위축 방지 위해 주사 부위는 매일 교체해야 한다.

③ 인슐린을 주사할 때 관절 부위를 피하고 피하조직이 충분한 부위를 선택한다.

④ 저혈당에 주의한다.

⑤ 인슐린 치료 후 저혈당 증상(어지러움, 식은땀, 구역감 등)이 나타나는 경우, 혈당을 측정하여 저혈당을 확인하고 당분이 함유된 음식(주스, 사탕 등)을 복용시킨다.

⑥ 경련이 있거나 의식 장애, 금식 환자인 경우 포도당주사제제를 투여한다.

TIP 인슐린 주사 후 마사지를 할 경우 빠르게 흡수되어 저혈당 발생 위험이 높아지므로 이를 금지한다.

⑨ 수혈

(1) 목적

① 순환 혈액량을 보충한다.

② 급·만성 빈혈 시 적혈구 수 증가 및 혈색소를 유지시킨다.

③ 산소 운반 능력을 증가시킨다.

④ 출혈로 인해 혈액이 부족할 경우 혈량을 보충한다.

(2) 혈액의 종류 ✅기출 '21

구분		방법
전혈 (Whole blood)	사용	급성 출혈이나 대량의 출혈 시 혈액을 보충하고 산소 운반을 제공한다.
	주입 속도	2 ~ 3시간 내에 주입한다.
적혈구 농축액 (Pack RBC)	사용	• 사고나 수술, 위장 출혈 같이 급성으로 혈액 손실이 있을 때 농축 적혈구를 사용한다. • 빈혈이나 적혈구 기능 저하 같이 만성 혈액 손실일 경우 농축 적혈구를 사용한다.
	주입 속도	2 ~ 3시간 내에 주입하여 4시간을 넘지 않도록 한다.
신선동결혈장	사용	혈액 응고인자를 보충한다.
	주입 속도	1 ~ 1시간 30분 내에 주입한다.
혈소판 농축액 (PC)	사용	혈소판 감소증이나 혈소판 기능 장애 시 출혈을 예방한다.
	주입 속도	성분 파괴 방지를 위하여 빠른 시간 내에 주입해야 한다.

(3) **수혈 과정** ✅기출 '21 '17

① 수혈 처방과 수혈동의서를 확인한다.
② 혈액은행에서 수령한 혈액을 의료인 2인이 확인하고 서명한다.
③ 적십자 혈액원 스티커와 후면의 본원 혈액 부착 스티커에 기재된 환자의 이름, 성별, 나이, 등록번호, 혈액제제, 혈액고유번호, 혈액형, 방사선 조사 유무, 교차검사 결과, 유통기한, 혈액의 상태(혼탁도, 색깔이상 등)을 확인한다.
④ 손을 씻은 후 필요한 물품을 준비한다.
⑤ 환자를 확인한 후 혈액형을 말하도록 하여 준비한 혈액과 환자가 동일한 지 확인한다. 이때 의료인 2인이 직접 실시한다.
⑥ 환자에게 과거 수혈 여부, 수혈 부작용 여부를 확인하고 수혈의 필요 목적 및 부작용을 설명한다.
⑦ 수혈세트와 혈액백을 연결한다.
⑧ Drip Chamber에 2/3 ~ 3/4 이상 혈액을 채운 후, 수혈세트의 공기를 완전히 제거한다.
⑨ 수혈을 시작하면서 수혈 첫 15분 동안 15 ~ 20gtt/min 속도로 주입한다.
⑩ 수혈 직후 15분간 주의 깊게 관찰한다.
⑪ 사용한 물품을 정리한 후 손을 씻는다.
⑫ 간호기록지에 기록한다.

> **TIP** 간호기록지 기록 내용
>
> 혈액 종류, 혈액형, 방사선 조사 유무, 혈액 주입 시작 시간과 주입 속도, 수혈 전·중·후 활력징후, 수혈 부작용 발생 유무

(4) **수혈 전 간호** ✅기출 '21 '20 '19

① 수혈 전 환자의 ABO, Rh type 검사를 시행한다.
② 수혈을 위한 정맥 Route(18G ~ 20G)를 확보한다.
③ 환자에게 과거 수혈 받은 경험 및 수혈 부작용 유무, 환자가 알고 있는 혈액형을 확인한다.
④ 활력징후를 측정하여 발열 유무를 확인한다.
⑤ 혈액은행에서 혈액을 수령한 후 의료인 2인 이상이 수령한 혈액을 확인해야 한다.

(5) **수혈 중 간호** ✅기출 '21 '20 '19

① 수혈 여과장치가 있는 수혈세트를 사용한다.
② 생리식염수 이외에 수혈 중인 정맥로에 다른 수액제제를 같이 주입하면 용혈반응을 유발할 수 있으므로 따로 주입한다.
③ 수혈 시각 후 첫 15분 이내에 대부분의 부작용이 발생한다. 부작용 여부를 관찰하고 발생하면 즉시 수혈을 중단하고 의사에게 보고한다.

TIP 수혈 중 부작용

　　오심, 구토, 발적, 오한, 핍뇨, 혈뇨 등

④ 수혈기록지에 수혈 시작 시간, 종료시간, 부작용 발현 유무, 이상반응 등을 기록한다.

(6) 수혈 부작용 ✅기출 '21 '20 '19 '18 '17 '16 '14 '13

① 즉시 수혈을 중단시키고 활력징후를 측정한다.

② 의사에게 환자 상태를 보고한 후 처방에 따라 수행한다.

③ 증상

• 용혈반응

증상	오한, 열, 빈맥, 두통, 저혈압, 호흡곤란, 청색증 등이 있다.
간호	• 수혈 후 첫 15분 동안 15gtt/min로 주입하여 부작용을 관찰한다. • 이상반응이 나타날 경우 즉시 수혈을 중단하고 식염수로 정맥주입을 유지한다.

• 발열

증상	오한, 열, 두통 등이 있다.
간호	• 즉시 수혈을 중단하고 처방된 해열제를 투여한다. • 30분마다 V/S 측정을 한다.

• 알레르기 반응

증상	두드러기, 천식, 전신 가려움, 발적 등이 있다.
간호	• 천천히 수혈하며 심한 반응이 나타날 경우 수혈을 중지하고 의사에게 보고한다. • 항히스타민제를 투여한다.

• 순환기계 부담

증상	호흡곤란, 기좌호흡, 청색증 등이 있다.
간호	• 순환기계가 부담되지 않도록 적합한 주입 속도를 유지한다. • 처방에 따라 이뇨제 및 산소를 투여한다.

✳ `2021` 영남대 `2021` 인하대 `2020` 경상대 `2020` 순천향서울 `2019` 경희대 `2018` 단국대 `2016` 서울아산 수혈의 부작용과 부작용에 대한 간호를 어떻게 할 것인지 말해보시오.

✳ `2021` 인하대 `2017` 강원대 수혈 시 주의점에 대하여 말해보시오.

✳ `2021` 아주대의료원 수혈을 하는 이유와 수혈의 종류는 무엇이 있는지 말해보시오.

✳ `2021` 아주대의료원 `2020` 이화여대 `2019` 인하대 수혈 전 · 중 · 후 간호에 대해 말해보시오.

✅ 관련 **의학용어 알고가기**

✔	약 어	용 어	의 미
✓	ac	ante cibum, before meals	식전
✓	aq	aqua, water	물
✓	bid	bis in die, twice a day	하루에 두 번
✓	M or m	MIX	혼합해서
✓	pc	post cibum, after meals	식후
✓	po	per ps by mouth	경구로
✓	tid	ter in die, three times a day	하루에 세 번
✓	SC	subcutaneous	피하 내
✓	h, hr	hour	시간 내
✓	qid	quatre in die, four times a day	하루에 네 번
✓	rept	may by repeated	반복 가능
✓	IM	intramuscular	근육 내
✓	IV	intravenous	정맥 내
✓	dil	dissolve, dilute	용해, 희석
✓	ad lib	ad libitum	자유롭게

CHAPTER

06 영양

출제빈도 ●●○○○ | 학습결과 ☺☺☹

학습
목표

1. 영양액 주입 방법을 설명할 수 있다.
2. Dumping Syndrome을 설명할 수 있다.

기출 키워드 | □ Dumping Syndrome □ 비위관 위치 확인 □ 총비경구영양

---

1 경장영양

(1) 정의

음식물을 씹고 삼킬 수 없으나 소화하고 흡수가 가능한 환자에게 관을 삽입하여 위 또는 장으로 영양소를 제공하는 것을 말한다.

(2) 단기간 영양액 ✅기출 '20 '19

① 비위관
- 흡인 위험이 있는 대상자에겐 금기한다.
- 비강을 통해 위까지 튜브를 삽입한다.
- 위 내용물을 흡인하거나 위 세척, 가스 제거를 위해 사용하기도 한다.
- 폐 흡인 위험성이 높다.

② 비장관
- 소화 흡수가 정상적인 대상자에게 적용한다.
- 비강을 통해 소장 윗부분까지 튜브를 삽입한다.
- 위내 병변이 있거나 위를 비우는 시간이 지연이 있는 환자에게 적응할 수 있다.
- 비위관보다 폐 흡인 위험성 적다.
- 유문관을 지나쳐 위치하기 때문에 Dumping Syndrome이 나타날 수 있다.

TIP Dumping Syndrome(덤핑 증후군)

음식물이 빠르게 소장으로 내려가서 생기는 증상이다. 고탄수화물 식이가 너무 빨리 장 내로 들어오면 인슐린이 과도하게 증가하여 저혈당이 발생하고, 오심, 구토, 현기증, 발한, 빈맥, 가스팽창, 설사, 복부경련 등을 동반한다.

(3) 단기간 영양액 삽입 방법

① 손을 씻은 후 필요한 물품을 준비한다.
② 시행 전 환자에게 튜브 삽입 시 구역감과 목 부위 불편감이 있을 수 있다고 설명한다.
③ 튜브 삽입 시 입으로 숨을 쉬면서 삼키도록 교육한다.
④ 환자를 확인 후, 좌위 혹은 반좌위로 체위를 취한다. 좌위는 구토 시 흡인을 예방하나 일어날 수 없는 환자는 측위를 취하도록 한다.
⑤ 튜브의 삽입 길이를 확인 후 표시한다. 튜브 길이는 코에서 귓불을 지나 검상돌기까지의 길이를 측정한다.
⑥ 튜브의 끝 10 ~ 20cm가량에 수용성 윤활제를 발라 점막과 튜브의 마찰력을 감소시킨다.
⑦ 머리를 뒤로 젖힌 채 비강을 통해 튜브를 천천히 삽입한다. 인두를 지날 때 고개를 약간 앞으로 숙이면 기도가 좁아지면서 식도가 넓어져 삽입이 용이하다.
⑧ 환자에게 침을 삼키도록 하면서 표시한 부위까지 천천히 밀어 넣는다.
⑨ 표시된 부위까지 삽입했을 때 튜브가 위에 제대로 들어갔는지 위치를 확인한다.
⑩ 튜브가 제대로 들어갔으면 테이프로 고정 후, 튜브 끝을 환자의 옷에 안전핀으로 고정한다.
⑪ 사용 물품을 정리하고 기록한다.

(4) 비위관 위치 확인 ❤️기출 '19 '16 '14 '13

① 튜브 끝에 주사기를 꽂아 위액을 흡인한다.
② 흡인한 위액 산도를 측정한다. 이때, 위액 산도는 pH0 ~ 4여야 한다.
③ 튜브 끝에 주사기를 연결 후 공기를 10 ~ 20ml를 주입하면서 청진기로 상복부를 청진한다.
④ 방사선 영상을 통해 튜브의 위치를 확인한다.

> **TIP** 비위관 위치 확인 시 위장에 위치하면 '훅'하고 공기가 위장으로 들어가는 소리가 난다. 트림이 발생하면 튜브가 식도 내에 위치한 것이다.

(5) 장기간 영양액 주입

① 위루 영양
  • 위장관 질환이 있거나 연하곤란 대상자에게 적용한다.
  • 기관지로 잘못 삽입할 위험이 적다.
  • 흡인성 폐렴 환자에겐 금기한다.
② 공장루 영양
  • 흡인성 폐렴 가능성이 있는 대상자에게 적용한다.
  • 흡인 가능성이 적으며 위장 수술 후 바로 가능하다.

② 총비경구영양(TPN : Total Parenteral Nutrition) ✔기출 '19 '17

(1) 정의 및 목적

① 정의 : 포도당, 단백가수분해, 미네랄, 비타민으로 구성된 고장성의 영양액을 말초 또는 중심 정맥을 통해 효과적으로 공급한다.

② 목적
- 질병으로 충분한 영양을 흡수할 수 없는 환자에게 영양을 공급한다.
- 신경성 식욕부진이나 오심, 구토 및 설사 등 위장관 흡수가 방해를 받는 환자에게 영양을 공급한다.
- 궤양성 장염 등의 위장관 손상 치료를 위해 사용한다.

(2) 주의사항

감염, 고혈당, 수분과다, 공기 색전에 주의해야 한다.

CHECK 실제 면접장에서 이렇게 물어본다 !

* 2020 성균관대삼성창원 Dumping Syndrome의 간호중재에 대해 말해보시오.
* 2019 인하대 Dumping Syndrome이 무엇인지 말해보시오.
* 2019 인하대 L - tube 사용 시 흡인 예방법은 무엇인지 말해보시오.
* 2019 인하대 2016 서울아산 2016 인천성모 L-tube 삽입 길이 측정과 위치 확인 방법에 대해 말해보시오.
* 2019 인하대 TPN의 Full term과 간호중재에 대해 말해보시오.
* 2017 인하대 TPN 주입 시 확인해야 할 사항 세 가지를 말해보시오.
* 2016 서울성모 L-tube 환자가 구토한다면 어떻게 대처할 것인지 말해보시오.

✔	약 어	용 어	의 미
✓	ICF	intracellular fluid	세포 내 액
✓	ECF	extracellular fuid	세포 외 액
✓	EAR	esti-mated average requirement	평균 필요량
✓	DRI	dietary reference	영양섭취기준표
✓	RI	recommended intake	충분섭취량
✓	UI	tolerable upper intake level	상한섭취량
✓	RDA	recommended dietary allowances	영양권장량
✓	KDRLs	dietary reference intakes for Koreans	영양소 섭취기준

학습목표
1. 흡인 절차에 대해 설명할 수 있다.
2. ABGA검사에 대해 설명할 수 있다.

기출 키워드 | ☐ 흡인 절차   ☐ 흡인 주의사항   ☐ 알렌 테스트(Allen's Test)

① 구강 및 비강흡인(Oral and Nasopharyngeal Suction)

(1) 목적

환자가 스스로 분비물을 제거할 수 없을 때 분비물 흡인하여 기도유지 및 환기가 가능하다. 호흡기 감염 예방을 위해 검사물 채취가 가능하다.

(2) 과정 ♥기출 '20 '19 '16

① 손을 씻은 후 필요한 물품을 준비한다.

② 환자 확인 후 목적 및 절차를 설명한다.

③ 흡인기를 작동시켜 정상적으로 작동하는지 확인한다.

④ 흡인기가 정상적으로 작동하면 환자를 반좌위를 취한 후, 장갑을 끼고 흡인 카테터를 연결한다.

⑤ 카테터의 끝을 생리식염수에 적셔 마찰력 감소 및 삽입을 용이하게 한다.

⑥ 기관점막 손상을 방지하기 위해 카테터를 삽입하는 동안에는 흡인 압력을 걸지 않고 조절구멍에서 손가락을 뗀 상태로 삽입한다.

⑦ 적정 흡인압(성인 80 ~ 120mmHg, 소아 80 ~ 100mmHg)을 확인한다.

⑧ 흡인 조절구멍을 손가락으로 막고 부드럽게 카테터를 돌려 **빼면서** 5 ~ 10초간 흡인 한다.

> **TIP** 1회 흡인 시간은 15초를 넘지 않도록 하고 전체 흡인시간은 5분이 넘지 않도록 한다. 또한 저산소증 예방을 위해 흡인 사이에 20 ~ 30초 간격을 두어 심호흡, 기침을 유도한다.

⑨ 흡인이 끝난 후 생리식염수로 통과시켜 분비물을 통과시킨다.

⑩ 사용한 물품을 정리한다.

(3) **주의사항** ✅ 기출 '20 '19 '16 '13

① 감염 예방을 위해 무균법을 준수한다.

② 흡인 전·후로 과산소화 되어야 저산소증을 예방할 수 있다.

③ 흡인 시에는 환자의 얼굴색·맥박수·분비물의 양과 색을 관찰한다.

④ 과도한 빈맥, 청색증, 서맥, 혈액 섞인 분비물이 관찰될 경우 즉시 흡인을 중단하고 산소 공급 및 의사에게 보고해야 한다.

CHECK 실제 면접장에서 이렇게 물어본다 ! ●

* 2020 | 이화여대 비강 캐뉼라를 적용하고 있는 환자의 산소포화도가 85%까지 떨어지는데 주치의와 연락이 되지 않을 경우 어떻게 대처할 것인지 말해보시오.

* 2020 | 인제대 2020 | 인제대해운대백병원 2016 | 서울아산 비강 캐뉼라에 대해 말해보시오.

* 2016 | 서울아산 흡인 절차에 대해 말해보시오.

---

2 ABGA 검사(Arterial Blood Gas Analysis, 동맥혈 가스분석)

(1) **정의**

호흡능력을 나타내는 지표로, 동맥혈을 채취하여 산소포화도와 산·염기 불균형을 평가하기 위한 검사이다.

(2) **ABGA 정상 범위**

검사	정상 범위	비정상 및 의미
pH	7.35 ~ 7.45	• pH < 7.35 산증 • pH > 7.45 알칼리증
PaO_2	80 ~ 100mmHg	• PaO_2 < 80 저산소증 • PaO_2 > 100 과산소증
$PaCo_2$	35 ~ 45mmHg	• $PaCo_2$ < 35mmHg 호흡성 알칼리증 • $PaCo_2$ > 45mmHg 호흡성 산증
HCO_3	22 ~ 26mEq	• HCO_3 < 22mEq 대사성 산증 • HCO_3 > 26mEq 대사성 알칼리증

(3) 알렌 테스트(Allen's Test)

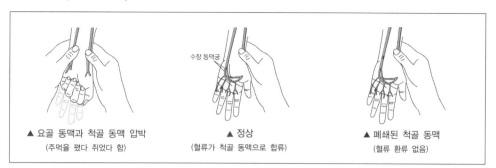

▲ 요골 동맥과 척골 동맥 압박	▲ 정상	▲ 폐쇄된 척골 동맥
(주먹을 폈다 쥐었다 함)	(혈류가 척골 동맥으로 합류)	(혈류 환류 없음)

(수장 동맥궁)

① 정의 : 요골 동맥이 손상·폐색 시 척골 동맥까지 혈액 공급 및 순환이 적절한지 평가하기 위해 시행하는 테스트이다.

② 과정
- 손목 주름 아래에 위치한 요골 동맥과 척골 동맥을 압박하며 순환을 차단한다.
- 압박한 상태로 주먹을 쥐었다가 폈다가를 10회 반복한다.
- 새끼손가락 쪽의 동맥에서 손을 떼고 혈색이 돌아오는 시간을 확인한다.
- 5초 이내에 혈색이 돌아오면 정상이다.

✅ 관련 의학용어 알고가기

✔	약 어	용 어	의 미
✓	CO	cardiac output	심박출량
✓	CI	cardiac index	심박출지수
✓	SV	stroke volume	일회박출량
✓	CBC	complete blood count	전혈구검사
✓	ECG	electrocardiography	심전도
✓	EPS	electrophysiological study	전기생리학검사
✓	PET	pulmonary function test	폐기능 검사
✓	PEFR	peak expiratory flow rate	최대 호기유속 검사
✓	NIV	non invasive ventilation	비침습적 기계환기

학습
목표

1. 비정상적인 배뇨 특징을 설명할 수 있다.
2. 도뇨관 유치방법을 설명할 수 있다.
3. 관장 종류와 절차에 대해 설명할 수 있다.

기출 키워드 | □비정상 배뇨 □유치도뇨 □배출관장 절차

❶ 배뇨

(1) 비정상 배뇨

① 소변량
- 무뇨(Anuria) : 100ml/24hr 이하
- 핍뇨(Oliguria) : 100 ~ 400ml/24시간 이하, 30ml/hr 이하
- 다뇨(Polyuria) : 3,000ml/24시간 이상

② 소변양상
- 혈뇨(Hematuria) : 소변에서 혈액이 검출되며 콜라색 ~ 붉은색의 소변이 배출된다.
- 세균뇨(Pyuria) : 소변에서 세균이 검출되며 혼탁한 소변 및 악취 나는 소변이 배출된다.
- 당뇨(Glycosuria) : 소변에서 비정상적으로 당이 검출된다.
- 단백뇨(Proteinuria) : 소변에서 비정상적으로 단백질이 검출되며 거품 섞인 소변이 배출된다.

③ 배뇨 장애
- 배뇨곤란(Dysuria) : 배뇨 시 통증과 작열감을 느낀다.
- 빈뇨(Frequency) : 수분 섭취 증가와 관련 없이 배뇨간격이 잦다. 1일 10회 이상 배뇨한다.
- 긴박뇨(Utgency) : 긴박한 요의감을 느낀다.
- 야뇨(Nocturia) : 수면 시 2번 이상 소변을 보기 위해 깬다. 정상은 자기 전 배뇨 시, 7 ~ 8시간 동안 요의감 없이 수면을 취할 수 있어야 한다.
- 배뇨지연(Hesitency) : 배뇨 시 시작이 지연되고 배출에 어려움을 겪는다.
- 요실금(Incontinence) : 배뇨 조절 기능을 상실하여 불수의적으로 소변이 배출된다.
- 유뇨증(Enuresis) : 방광 조절이 가능한 나이(4 ~ 5세)가 지나도 소변을 가리지 못한다.

TIP 정상 배뇨

구분	내용	구분	내용
색깔	옅은 노란색 혹은 호박색	요비중	1.010 ~ 1.025 ※ 콩팥 질환이 없는 경우 높은 비중은 탈수를 의미하고 낮은 비중은 과다 수분 공급을 의미
혼탁도	금방 배뇨한 소변은 맑거나 투명	포도당	나타나지 않음
pH	4.6 ~ 8.0	단백질	8mg 이하/100mL

(2) 배뇨 반사 자극 방법

① 요의감을 느끼면 즉시 화장실을 가도록 한다.

② 물소리를 들려준다.

③ 따뜻한 좌욕을 권장한다.

④ 손을 따뜻한 물에 담근다.

⑤ 방광 위를 부드럽게 눌러준다.

(3) 단순도뇨(Simple Catheterization) ✔️ 기출 '19 '16

① 목적

- 1회 도뇨관 삽입으로 방광 내 소변을 제거한다.
- 배뇨 후 잔뇨량을 측정하고, 무균적인 소변 검사물을 채취한다.

> **필기 키워드**
>
> **Q** 단순도뇨의 목적은?
> **A** 방광 내 소변을 제거

② 삽입 절차

- 손을 씻은 후 필요한 물품을 준비한다.
- 환자에게 단순도뇨 목적 및 절차를 설명한다.
- 사생활 보호를 위해 커튼을 치고 똑바로 누울 수 있도록 한다.
- 환자의 하의를 탈의시키고 여성은 배횡와위, 남성은 앙와위를 취하게 한다.
- 손을 소독한 후 멸균장갑을 착용한다.
- 도뇨관 끝(5cm)에 윤활제를 바른다.
- 소독 솜으로 외음부 주위를 닦고 찬 느낌이 있을 수 있음을 설명한다.

구분	성별	방법
도뇨관 Size	여자	6 ~ 7Fr
	남자	7 ~ 8Fr
소독 순서	여자	• 대음순 → 소음순 → 요도 순으로 위에서 아래로 소독을 시행한다. • 한 번 닦을 때 마다 새 소독 솜을 사용한다.
	남자	요도구 바깥 방향으로 둥글게 소독한다.

- 도뇨관 삽입 시 환자에게 설명하고 도뇨관이 오염되지 않게 요도 후상방으로 5 ~ 8cm 삽입한다. 이때, 남자는 12 ~ 18cm 삽입한다.
- 소변이 흘러나오면 도뇨관을 2 ~ 4cm 더 삽입한다.
- 소변이 더 이상 나오지 않으면 도뇨관을 빼서 곡반에 버린다.
- 사용한 물품을 정리한 후, 손을 씻는다.
- 시간, 날짜, 시행 목적, 사용한 도뇨관 크기 및 소변 양상을 간호기록지에 기록한다.

(4) **유치도뇨(Foley Catheterization)** ✔**기출** '21 '20 '19 '16

① 목적
- 환자가 스스로 배뇨할 수 있을 때까지 장기간 유치한다.
- 요도 폐쇄 방지 위해 유치한다.
- 중환자의 소변량을 측정과 계속적 또는 지속적인 방광세척 위해 유치한다.

② 삽입 절차
- 손을 씻은 후 필요한 물품을 준비한다.
- 환자에게 유치도뇨 목적 및 절차를 설명한다.
- 사생활 보호를 위해 커튼을 치고 똑바로 누울 수 있도록 한다.
- 환자의 하의를 탈의시키고 여성은 배횡와위, 남성은 앙와위를 취하게 한다.
- 손을 소독한 후 멸균장갑을 착용한다.
- 삽입 전, 도뇨관 Ballooning을 통해 도뇨관 풍선의 팽창 여부를 확인하고, 도뇨관 끝(5cm)에 윤활제를 바른다.
- 소독 솜으로 외음부 주위를 닦고 찬 느낌이 있을 수 있음 설명한다.
- 도뇨관 삽입 시 환자에게 설명하고 도뇨관이 오염되지 않게 요도 후상방으로 5 ~ 8cm 삽입한다.
- 소변이 흘러나오면 소변이 흘러나오는 출구를 섭자로 고정한 후 도뇨관을 2 ~ 4cm 더 삽입한다.
- 멸균증류수를 주입하여 도뇨관을 Ballooning한 후, 도뇨관을 부드럽게 넣어서 고정되있는지 확인한다.
- 도뇨관과 소변주머니를 연결 후 섭자를 제거한다.

- 도뇨관을 반창고로 대퇴에 고정시킨 후 소변주머니를 항상 방광보다 낮게 하되, 바닥에 닿지 않도록 고정시킨다.
- 사용한 물품을 정리한 후, 손을 씻는다.
- 시간, 날짜, 시행 목적, 도뇨관의 크기 및 종류, 소변의 양상을 간호기록지에 기록한다.

③ 유치도뇨 환자 간호
- 수분 섭취를 권장하고 소변량을 증가시켜 도뇨관 내에 침전물 축적을 억제시킨다.
- 회음부 간호를 실시한다. 도뇨관 삽입 부위에 분비물이 축적되면 감염의 원인이 되므로 도뇨관이 꼬이거나 접히지 않게 관리하며 소변주머니는 항상 방광보다 낮게 하되, 바닥에 닿지 않도록 주의한다.
- 이동 시에는 소변주머니 안에 소변을 다 비우고 배액관을 잠근 상태에서 이동하게 해야 한다.

② 배변

(1) 관장(Enema) ✅ 기출 '20 '19 '16

변비를 일시적으로 완화시키기 위해 실시한다. 직장과 S자 결장에 용액을 주입하고 연동운동 자극하여 배변을 증진시킨다.

(2) 청결(= 배출)관장

① 고장액(Hypertonic)
- 용량 : 120 ~ 250ml
- 특징 : 수분을 대장으로 끌어들여 대장이 팽만하고 배변을 촉진시킨다. 관장액이 적어 용이하다.

② 저장액(Hypotonic)
- 용량 : 수돗물 500ml ~ 1L
- 특징 : 반복 관장 시 수분이 대장에서 혈액으로 흡수되어 수분 중독을 유발할 수 있다.

> **TIP** 신기능 저하나 급성 심부전 환자에게는 금지한다.

③ 등장액(Isotonic)
- 용량 : 생리식염수 500ml ~ 1L
- 특징 : 가장 안전하게 사용할 수 있다.

④ 비눗물 용액
- 용량 : 500ml ~ 1L(물 1L당 3 ~ 5g 비누)
- 특징 : 장 점막을 자극하여 연동운동을 촉진시킨다.

⑤ 배출관장 절차 ✅기출 '20 '18
- 손을 씻은 후 필요한 물품을 준비한다.
- 주사기 내관을 직장 튜브에 연결한 후 공기를 제거해 준다.
- 튜브 끝(10 ~ 15cm)에 윤활제를 바른다.
- 환자에게 관장의 목적 및 절차를 설명한다.
- 사생활 보호를 위해 커튼을 치고 환자에게 심스위 또는 좌측위를 취하게 한다.
- 일회용 장갑을 착용한 후 환자에게 숨을 입으로 내쉬면서 긴장을 풀도록 유도한다.
- 튜브의 끝을 환자의 배꼽을 향하게 하여 5 ~ 10cm 정도 삽입한 후, 관장액을 천천히 주입한다.
- 관장액을 주입하는 동안 불편감과 팽만감을 느낄 수 있음을 설명한다.
- 환자에게 15분 동안 변의감을 참은 후, 화장실을 갈 수 있도록 설명한다.
- 손을 씻은 후 사용한 물품을 정리한다.
- 관장 종류, 관장 용액, 주입 양, 관장 후 대변 양상을 간호기록지에 기록한다.

> **필기 키워드**
>
> ⓠ 청결관장에 사용되는 저장액의 특징은?
>
> ⓐ 장내 주입된 용액은 수분이 장에서 빠져나가기 전에 배변을 자극하나, 반복 관장 시 수분 중독을 유발할 수 있다.

(3) 정체 관장

① 투약 관장
- 종류 : Kayexalate(고칼륨혈증 시), Neomycin(장수술 전후 세균 감소를 위해)
- 특징 : 치료를 위해 장내에 약물을 보유시킨다.

② 오일정체 관장
- 종류 : 글리세린, 광물성 기름
- 특징 : 오일이 윤활작용을 하여 대변 배출을 촉진시킨다.

③ 영양 관장
- 종류 : 포도당
- 특징 : 수분과 영양분을 공급한다.

④ 수렴 관장
- 종류 : 생리식염수, 찬 수돗물
- 특징 : 조직을 수축시켜 지혈작용을 한다.

(4) 구풍 관장

장내 가스가 배출되는 것을 촉진하고 복부 팽만을 제거한다.

✶ 2021 | 인제대부산백병원 2020 | 순천향서울 유치도뇨관 관리법에 대해 말해보시오.

✶ 2021 | 영남대 유치도뇨 적용 중 소변이 나오지 않을 때 어떻게 할 것인지 말해보시오.

✶ 2021 | 연세대 관장의 종류 및 목적에 대해 말해보시오.

✶ 2016 | 인천성모 2016 | 인하대 2016 | 아주대 유치도뇨의 목적과 순서를 말해보시오.

✶ 2014 | 이화여대 관장의 종류와 목적에 대해 말해보시오.

✶ 2020 | 성균관대삼성창원 LC(간경변) 환자는 어떤 관장을 해야 하는지 말해보시오.

✶ 2020 | 단국대 글리세린 관장의 목적과 절차, 준비물을 말해보시오.

관련 의학용어 알고가기

✔	약 어	용 어	의 미
✓	ADH	antidiuretic hormones	항이뇨호르몬
✓	FOBT	fecal occult blood test	대변잠혈검사
✓		colon	결장
✓		peristalsis	연동운동
✓		ostomy	장루
✓		flatus	장내 가스
✓		cystoscopy	방광경검사
✓		polyuria	다뇨
✓		enuresis	야뇨증
✓		incontinence	실금
✓		albuminuria	단백뇨
✓		residual urine	잔뇨
✓		urinary retention	요정체

안전 · 안위 · 임종

출제빈도 ●●●●○ | 학습결과 ☺☺☹

학습
목표

1. 낙상사고 예방 방법을 설명할 수 있다.
2. 통증사정도구를 설명할 수 있다.

기출 키워드 | ☐ 비정상 배뇨 ☐ 유치도뇨 ☐ 배출관장 절차

① 안전

(1) 낙상 ✔기출 '21 '20 '19 '13

① 정의 : 침대에서 떨어지는 사고 요인으로 병원에서 흔히 발생한다.

② 위험 요인

- 65세 이상 또는 낙상경험이 있는 환자(6개월 또는 1년 이내)
- 보행장애 및 균형감각 장애
- 진정제 및 수면제 복용
- 시력 저하, 허약, 낯선 환경
- 혼돈 또는 지남력 상실

③ 예방 방법

- 침대 Side Rail을 올린다.
- 미끄럼 방지 슬리퍼 착용 및 바닥 물기를 제거한다.
- 적절한 조명을 설치하여 바닥을 밝히고 야간등을 사용한다.
- 잠자기 전 화장실에 다녀오는 것을 권장한다.

> **필기 키워드**
>
> ❶ 낙상의 위험 요인은 무엇인가?
>
> ❷ 65세 이상, 낙상 경험이 있는 환자, 진정제 및 수면제 복용, 시력 저하, 혼돈 또는 지남력 상실, 낯선 환경 등을 주의 깊게 봐야 한다.

(2) 억제대 ✔기출 '20 '19

① 정의 : 환자의 움직임을 제한하여 환자 자신이나 타인의 손상을 예방한다.

② 주의사항

- 환자의 움직임은 가능한 범위 내에서 최대로 허용한다.
- 맥박 측정 및 피부색, 억제된 부위 감각을 확인하여 혈액 공급 및 순환상태를 확인한다.
- 손가락 한 개가 들어갈 정도의 여유를 둔다.
- 2시간마다 30분씩 억제대를 풀어서 순환을 유지한다.
- 관절 부위는 고정하지 않으며 피부 손상 예방 위해 뼈 돌출 부위에는 적용하지 않는다.

② 통증사정도구 ✔️기출 '21 '19 '18 '16

(1) NRS(Numeric Rating Scale)

① 정의 : 통증을 0점에서 10점까지의 숫자로 표시하여 통증을 사정하는 방법이다. 가장 흔하게 사용한다.

② 측정 방법 : 환자가 느끼는 통증의 정도를 숫자로 말하게 한다.

• 0점 : 통증이 없다.

• 1 ~ 3점 : 경미한 통증을 느낀다.

• 4 ~ 6점 : 중증도 통증을 느낀다.

• 7 ~ 10점 : 심한 통증을 느낀다.

(2) VAS(Visual Analogue Scale)

① 정의 : 숫자가 없는 10cm 길이의 선으로 양쪽 끝을 '통증 없음'과 '가장 심한 통증'으로 표시한다.

② 측정 방법 : 환자가 현재 느끼는 통증의 강도와 일치하는 점을 선위에 표시하게 한다.

③ 지표 : 통증 강도를 숫자적 지표로 측정한다. 가장 낮은 곳(통증 없음)에서부터 거리를 측정한다.

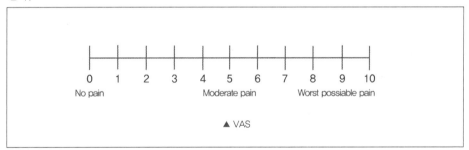

▲ VAS

• 0cm : 통증이 없다.

• 1 ~ 3cm : 경미한 통증을 느낀다.

• 4 ~ 6cm : 중증도 통증을 느낀다.

• 7 ~ 8cm : 심한 통증을 느낀다.

• 9 ~ 10cm : 격렬한 통증을 느낀다.

(3) FPRS(Faces Pain Rating Scale)

통증 정도에 따른 얼굴 표정의 변화를 그림으로 나타낸 것이다. 3세 이상의 소아나 의사소통 장애가 있는 성인에게 사용한다.

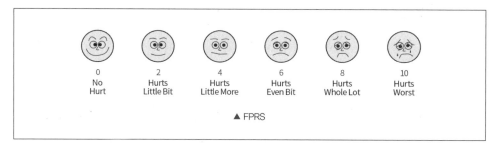

▲ FPRS

(4) FLACC(Face Leg Activity Cry Consolability Scale)

① 정의 : 얼굴, 다리, 활동, 울음, 마음의 안정도의 항목에 각각 점수를 매겨 통증을 사정하는 방법이다. 3세 미만 소아나 의사소통이 불가능한 환자에게 사용한다.

② 지표

- 0점 : 통증이 없다. 편한 상태이다.
- 1 ~ 3점 : 약간 불편하다.
- 4 ~ 6점 : 중간 정도 불편하다.
- 7 ~ 10점 : 매우 불편하고 아픈 상태이다.

3 임종간호 ✓ 기출 '20 '18 '16 '15

(1) 임종 환자의 반응(죽음의 단계)

① 1단계(부정) : 현신을 부정하며 의사의 진단을 오진이라고 판단한다.

② 2단계(분노) : 왜 자신에게 이러한 일이 일어났는지 분노하며 적개심을 표출한다.

③ 3단계(협상) : 개인의 문제가 잘 마무리되기를 원하며 운명과 신에게 타협을 구한다.

④ 4단계(우울) : 극도의 상실감과 우울을 겪게 되며, 죽음 전 비탄의 기간을 갖게 된다.

⑤ 5단계(수용) : 더 이상 분노와 우울을 표출하지 않고, 평온함을 느끼며 감정이 차분해진다. 죽음을 받아들이고 임종에 대한 준비를 하게 된다.

(2) **임종 환자의 신체적 징후** ✔기출 '16 '15

① 근긴장도 상실

- 대화가 곤란해지고, 안면근의 이완 및 신체 움직임이 감소한다.
- 괄약근 조절 감소로 요실금 및 요실변이 발생한다.

② 순환 속도 저하

- 발에서 시작되어 손, 귀, 코 순서로 피부가 차가워진다.
- 맥박이 약하고 느려진다.

③ 혈압이 하강하고, **빠르고 얕은 불규칙적인 호흡**(Cheyne − Stokes 호흡)을 내뱉는다.

④ 시각이 흐려지고 미각과 후각이 손상된다. 청각은 마지막으로 상실한다.

(3) **간호중재**

구분	내용
신체적 간호	• 적극적인 통증관리, 규칙적인 진통제 투여, 심상 요법, 마사지, 지압, 냉온 요법, 이완요법 등 • 반좌위 유지, 산소 공급, 기관지 확장제 공급, 기도분비물 흡인, 습도 증가 제공, 기호식품 제공 • 오심구토 시 원인 파악 후 진토제 투여, 구토 후 구강간호 실시 • 분변매복 제거, 신체활동 격려, 수분과 섬유질 많은 음식 제공, 기저귀 적용, 유치 도뇨관 삽입, 피부 청결 유지 • 취침 전 따뜻한 음료 제공, 필요시 수면제 제공 • 체위 변경, 부분 목욕, 오일이나 크림 바르기 실시, 청결한 공기 유지
심리적 간호	• 불안과 우울과 관련하여 약물 요법, 격려 및 지지·교육 실시 • 통증, 호흡곤란, 외로움, 소외감, 두려움에 대한 지지 및 표현 • 의사소통 시 감정이입과 적극적인 경청
영적 간호	• 환자의 죽음 수용, 평안한 죽음을 준비 • 의미추구의 요구, 용서에 대한 요구, 사랑에 대한 요구, 희망에 대한 요구로 구분
임종 간호	• 저체온은 담요를 덮어 보온 증진, 의사소통 시 부드럽고 명확히, 기도분비물은 고개를 옆으로 돌려 배액 유도, 필요시 흡인 시행 • 책 읽어주기, 편안한 음악 들려주기 등 시행 • Cheyne − Stokes 호흡 시 머리를 높여주는 등 호흡간호 시행
가족 돌봄	• 환자의 신체, 정신적 요구 충족에 중요 역할을 수행하며 정서적 지지 시행 • 환자를 돌보는 가족이 가능한 일상적 활동을 지속하도록 배려, 휴식할 수 있는 자원 연계와 지지체계의 구축 돕기
간호사 자신을 위한 돌봄	스트레스 완화를 위한 취미, 자신만을 위한 동료 지지체계 유지 등
Revision(재교정)	문제가 있는 부분을 다시 수정하고 수정 방안을 기록한다.

CHECK 실제 면접장에서 이렇게 물어본다 !

* 2021 | 은평성모 2021 | 순천향천안 2021 | 인하대 2021 | 충북대 2021 | 울산대 2020 | 순천향서울 2019 | 인천성모 낙상 예방법을 말해보시오.

* 2021 | 이화여대의료원 2020 | 순천향서울 2021 | 인하대 2019 | 인하대 낙상 위험 사정 도구와 점수 판정에 대해 말해보시오.

* 2021 | 아주대의료원 2021 | 연세의료원 낙상 중재에 대해 말해보시오.

* 2021 | 인하대 낙상 고위험진단 기준은 무엇이며 낙상 시 어떤 간호를 해야 하는지 말해보시오.

* 2021 | 인하대 아동 낙상의 경우 어떻게 해야 하는지 말해보시오.

* 2021 | 단국대 낙상 위험 요인과 예방 방법에 대해 말해보시오.

* 2021 | 단국대 어떤 약물을 투여하고 있는 환자가 낙상 위험이 높은지 말해보시오.

* 2021 | 강동경희대 환자가 낙상했을 때 어떻게 대처할 것인지 말해보시오.

* 2021 | 아주대의료원 낙상을 일으키는 약물과 낙상 도구에 대해 말해보시오.

* 2021 | 삼성창원 통증관리(통증사정도구)에 대해 설명해보시오.

* 2020 | 국립암센터 죽음을 앞두고 있는 환자와 가족에게 어떤 간호를 제공할 것인지 말해보시오.

* 2020 | 이화여대 소아와 노인을 상대로 낙상사고를 어떻게 교육할 것인지 말해보시오.

* 2019 | 인하대 억제대 적용 환자 간호중재 세 가지를 말해보시오.

* 2015 | 경북대 임종의 5단계와 임종 시 환자의 변화를 말해보시오.

✅ 관련 **의학용어** 알고가기

✔	약 어	용 어	의 미
✓		terminal illness	말기 질환
✓		psychological loss	심리적 상실
✓		algor mortis	사후한랭
✓		rigor mortis	사후경직
✓		impaired comfort	안위 장애
✓		death anxiety	죽음불안
✓	NRS	numeral rating scale	수치평기척도
✓	VAS	visual analog scale	시각아날로그척도

학습
목표

1. 간호사정 자료를 구분할 수 있다.
2. 수술 준비 및 수술실 간호사의 역할을 설명할 수 있다.

기출 키워드 | ☐ 수술 전 교육 ☐ 수술 후 간호 중재 ☐ 수술실 간호사의 역할

---

① 수술 전 간호

(1) 간호사정 자료 ✔기출 '21 '16

① 주관적 자료 : 연령, 흡연과 음주 여부, 약물 사용, 질병력 및 과거 수술, 마취 경험 등을 사정한다.

② 객관적 자료 : 신체사정을 통해 현재의 건강문제, 마취 합병증, 수술 후 합병증 가능성을 확인한다.

(2) 계열별 간호사정

① 심혈관계
- 협심증, 고혈압, 부정맥, 심부전 등 과거력 확인을 통해 급·만성 문제를 확인한다.
- 혈액응고에 영향을 미치는 약물 및 건강식품 사용 여부를 확인한다.
- 심혈관계 기능에 대한 검사결과를 확인한다.

② 호흡기계
- 흡연 여부를 파악하고 수술 6주 전부터는 금연이 필요하다.
- 호흡음을 청진하고 호흡수, 리듬, 규칙성을 확인한다.
- COPD, 기흉, 기관지염, 천식 등의 과거력을 확인한다.
- 폐기능 검사, 흉부 X선 검사, 동맥혈 가스검사를 실시한다.

③ 신경계
- 시간, 장소, 사람에 대한 지남력을 사정한다.
- 뇌졸중, 일시적 뇌 허혈성 발작, 신경계 질환 등 과거력을 확인한다.

④ 간담도계 : 간기능을 파악하는 검사 결과를 확인한다.

⑤ 면역계 : 자가면역 질환 및 면역억제제 복용 여부를 확인한다.

⑥ 수분과 전해질
- 설사, 구토, 연하곤란 증상을 확인한다.
- 혈청 전해질 수치 확인 및 탈수 여부를 확인한다.

⑦ 내분비계
- 수술일 아침에 혈당을 측정한다.
- 인슐린 또는 경구용 혈당강하제 투여 여부를 확인한다.

(3) 수술 전 준비 ✅**기출** '21 '20 '19 '16 '14

① 수술동의서 작성 : 수술을 받을 환자는 수술동의서에 서명 또는 날인을 하여 수술동의서를 작성한다.

② 호흡기계 기능 증진 : 호흡곤란 시 기침, 심호흡, 체위 배액 등을 통해 분비물 제거를 시행하여 호흡기계 기능을 증진시킨다.

③ 영양상태 확인 : 영양상태가 불균형할 경우 균형 잡힌 식이 및 영양보충, 투약을 통해 교정한다.

④ 감염 예방 : 감염 가능성이 있으면 수술 전에 예방적 항생제를 투여해야 한다.

⑤ 위장문제 예방
- 수술 후 위장관계 기능이 저하되어 변비나 분변매복이 올 수 있으므로 수술 전 하제를 투여하고 관장을 시행한다.
- 위장문제 예방 및 흡인 위험성을 감소시키기 위해 수술 전 6 ~ 8시간 금식상태를 유지한다.

⑥ 투약 확인
- Digoxin(Lanoxin), Phenytoin(Dilantin), 항고혈압제, 항응고제 등은 갑작스럽게 투여를 중단하면 상태를 악화시킬 수 있으므로 투여 중단 전에 주치의와 상의를 해야 한다.
- 아스피린, 항응고제와 같은 제제는 출혈 위험성을 증가시킬 수 있으므로 수술 7 ~ 14일 전부터 중단한다.
- 심장약 또는 항고혈압제제는 수술 2시간 전 소량의 물과 복용하도록 한다.

⑦ 수술 부위 준비
- 수술할 피부 준비 및 감염 예방을 위해 삭모를 시행한다.
- 좌우 구분이나 다중 구조의 수술인 경우 수술 부위 착오를 예방하기 위해 주치의가 마커 펜을 이용하여 수술 부위를 표시한다.

(4) 수술 전 교육 ⊘ 기출 '20 '19

① 수술 후 부동자세, 진정제 투여, 마취 등으로 인한 폐 환기 감소로 무기폐 발생 및 기도 분비물 축적이 기관지염 및 폐렴을 발생시킬 수 있음을 설명한다.

② 심호흡

• 반좌위를 취하고 숨을 깊게 들이마신 후 천천히 내쉬는 횡격막 호흡법을 실시한다.

• 심호흡은 호흡수를 줄여주고 최대 흡기량을 일정하게 유지시키며 폐용적을 증가시킨다.

③ 강화폐활량계 : 무기폐를 예방하기 위해 Mouthpiece에 입술을 붙이고 숨을 크게 들이마신 상태로 3 ~ 5초 참게 한다.

④ 환부를 지지해 기침과 심호흡을 시행한다. 눈이나 탈장 수술 시에는 기침으로 인한 압력으로 수술 부위 손상될 수 있으므로 주의한다.

⑤ 하지운동

• 수술 후 부동은 혈류를 느리게 하며 혈전 생성 위험성을 증가시킨다.

• 하지 근육을 긴장 및 이완시킬 수 있도록 등척성 운동을 권장한다.

• 하지 정맥 귀환량을 증진시키기 위해 수술 전 항혈전 스타킹을 착용한다.

⑥ 조기이상과 관절가동범위 운동을 시행한다.

❷ 수술 중 간호

(1) 수술실 간호사의 역할

① 소독 간호사(Scrub Nurse)

• 수술의 해부생리 및 과정에 대해 명확하게 숙지해야 한다.

• 수술에 필요한 멸균용품 및 수술기구를 준비한다.

• 손을 소독하고 가운 및 장갑을 무균법으로 착용한다.

• 수술과정에서 외과의에게 필요한 기구를 제공한다.

• 수술과정 동안 순환 간호사와 함께 사용된 물품의 수를 확인한다. 거즈, 바늘, 기구 등의 개수를 정확하게 확인한다.

• 혈액 손실을 위해 사용한 세척용액을 계산한다.

• 수술에서 사용한 에피네프린 용액 및 국소마취제 양을 보고한다.

> **필기 키워드**
>
> ⑩ **소독 간호사의 역할은?**
>
> ⑪ 수술에 필요한 멸균용품 및 수술기구를 준비하고 외과의에게 필요한 기구를 제공한다. 수술과정 동안 순환 간호사와 함께 사용된 물품의 수를 정확하게 확인하고 세척용액을 계산한다. 수술에 사용한 에피네프린 용액 및 국소마취제 양을 보고한다.

② 순환 간호사(Circulating Nurse)
- 수술의 해부생리 및 수술과정을 점검한다.
- 수술계획표를 확인하고 수술방 및 수술장비가 제대로 작동하는지 점검 및 준비한다.
- 수술상 필요한 멸균용품을 제공한다.
- 수술 중 간호를 계획하고 조정하며 기록한다.
- 수술과정 동안 멸균법이 지켜지는지 감독하고 필요한 물품과 기구를 제공한다.
- 소독 간호사와 함께 3회 이상(수술 시작 전, 수술 부위 봉합 전, 봉합 후 등) 거즈 수를 확인하고 바늘과 기구 개수를 확인한다.
- 수술 종료 후 회복실 간호사에게 필요한 정보를 인계한다.
- 검사나 배양을 위한 검사물품을 관리한다.

(2) 마취 ✅ 기출 '20

① 척수 마취
- 주입 위치 : 요추(L_3와 L_4사이 지주막하강의 뇌척수액)에 국소 마취제를 주입한다.
- 기능 : 자극전도를 차단하고, 그 이하 부위의 통증 및 기타 감각을 마비시킨다.
- 장점 : 비용이 저렴하며, 마취유도가 빠르고 근육이완이 잘된다는 장점이 있다.

> **TIP** 저혈압, 호흡근 마비, 두통과 하반신 마비 증상이 동반될 수 있다.

> **TIP** 척수 마취 후 저혈압 증상이 나타날 경우 에피네프린, 에페드린을 투여하며 마취 초기에 머리를 상승시켜 호흡근 마비를 예방한다. 두통과 하반신 마비 증상이 나타날 경우 수술 후 베개 없이 평편하게 누워 안정을 취해야 한다.

② 경막외 마취
- 주입 위치 : 국소마취제를 경막외 공간에 주입한다.
- 장점 : 뇌척수액이 빠져나오지 않아 수술 후 두통이 없다.

③ 국소 마취
- 주입 위치 : 국한된 부위에 도포하거나 정맥 또는 피하주사로 마취를 유도한다.
- 기능 : 감각만 소실된다.

④ 전신마취
- 뇌의 기능을 억제하고 의식 및 감각, 수의운동, 반사활동 등을 차단한다.
- 기도 내 흡입, 혈관 내 주입, 밸런스 마취 등이 있다.

TIP 전신마취 단계

구분	내용
1단계 마취유도기	• 유도기에서 의식소실까지의 단계를 말한다. • 어지러움과 졸음을 동반하며 통증감각은 소실된다.
2단계 흥분기	• 의식소실에서 이완까지의 단계를 말한다. • 규칙적으로 호흡하며 안검반사 소실이 발생한다. • 불규칙한 호흡과 근긴장도 긴장, 사지의 불수의적 움직임이 나타날 수 있으며 후두경련과 구토도 발생할 수 있다. • 외부 자극에 민감하다.
3단계 외과적 수술기	• 전신근육 이완에서 반사소실과 주요기능 저하까지의 단계를 말한다. • 규칙적으로 호흡하며 턱이 이완되고 청력 및 감각이 소실된다.
4단계 위험기	• 주요기능 저하에서 호흡부전, 심장마비, 사망까지의 단계를 말한다. • 호흡근 마비로 인한 무호흡과 동공은 확장 및 고정된다.

(3) 수술 중 간호중재

① 감염 예방
  • 수술실 간호사는 무균법을 숙지하고 무균상태를 유지한다.
  • 정확한 무균법로 물건을 옮기고, 멸균상태 확인 및 정확한 표시를 한다.
  • 수술복 착용, 스크럽, 가운 착용 등을 실시한다.

② 수술 부위 오류 방지
  • 수술 부위 표시 : 지워지지 않는 펜으로 수술 부위를 표시한다.
  • 타임아웃(Time Out)시행 : 수술 전 정확한 대상자, 정확한 수술, 정확한 부위, 정확한 체위, 약물 등을 의료진이 서로 상호작용하여 확인한다.

③ 간호기록 : 수술기록지에 수술 정보를 기록한다.

④ 이물질 잔류 방지 : 수술 계수(거즈, 바늘, 수술기구 등)가 체내에 남지 않도록 확인한다.

⑤ 실혈량 측정
  • 환자의 실혈량을 추정치로 계산한다.
  • 수술 중 흡입기, 상처배액, 흉관, 세척액 등을 계산한다.

⑥ 라텍스 알레르기 확인 : 라텍스 민감성을 수술 전에 확인한다.

③ 수술 후 간호 ✔기출 '21

(1) 수술 직후 간호(회복실 간호) ✔기출 '20 '15 '14

① 회복실에 있는 환자의 회복과정을 관찰하며 마취로부터의 회복 및 안정된 활력징후, 출혈의 징후가 없어질 때까지 간호한다.

② 회복실 입실 시 기초 사정 : 기도개방성, 호흡음 청진, 심전도 모니터링, 활력징후, 피부색, 의식수준 및 지남력, 수술 부위 상처배액, 출혈 유무, 섭취량과 배설량 등을 사정한다.

(2) 마취 회복

① 연하반사가 나타나고 자가호흡이 유지되면 기관 내 삽관을 제거한다.

② 분비물에 의한 기도폐쇄를 막기 위해 필요시 흡인을 실시한다.

③ 회복실 첫 15분 동안은 5분마다, 그 후는 매 15분마다 활력징후를 측정한다.

④ 피부색, 입술, 손톱 색을 통해 청색증 유무를 확인한다.

⑤ 구강 분비물, 혈액 등이 성대를 자극하면서 생기는 후두경련을 확인한다.

⑥ 지남력 및 의식수준을 사정한다.

(3) 수술 후 간호중재 ✔기출 '20 '16

① 심호흡, 사지 움직임을 권장하여 마취제의 배출을 증진시킨다.

② 마취에서 깰 때 혼돈이 나타날 수 있으므로 침상난간을 올리며 관찰한다.

③ 척수 마취 환자는 뇌척수액 유출로 두통이 발생할 수 있으므로 두통 시 수분 섭취 증가시키고, 머리를 편평하게 눕힌다.

④ 수술 직후 인두반사 회복 시까지 머리를 비스듬히 옆으로 한 자세나 측위를 취하게 한다.

⑤ 효율적 기침, 분비물 제거, 산소요법, 호흡운동을 권장한다.

⑥ 매 15분마다 활력징후를 평가하여 순환기능 장애를 확인한다.

⑦ 수술 후 부정맥, 고혈압, 저혈압이 생기는지 관찰한다.

⑧ 수술 부위 배액량과 출혈이 증가되지 않는지 사정한다.

⑨ 수술 직후 2시간 내에 오심, 구토가 발생하기 쉬우므로 필요시 시원한 수건과 얼음을 제공한다.

⑷ 수술 후 병동 간호

① 호흡기계
- 폐음 청진 및 타진으로 분비물 정도를 파악한다.
- 무기폐, 폐렴, 폐색전증 같은 호흡기 합병증 증상을 확인한다.
- 심호흡 및 기침, 강화 폐활량계를 권장한다.

② 순환기계
- 활력징후를 측정하고 양쪽 족배 맥박을 비교하여 말초혈관순환을 사정한다.
- 혈전성 정맥염 예방 위해 조기이상을 시행한다.
- 수술 후 다리운동을 권장, 항혈전 스타킹을 착용시킨다.

③ 신경계
- 부동으로 근육이 약화된다.
- 지남력 및 의식수준을 사정한다.
- 관절강직, 감각 저하 등의 합병증을 사정한다.

④ 수분 – 전해질 균형
- 섭취량과 배설량을 측정하여 수분 과다 및 결핍을 확인한다.
- 오랜 기간 금식인 경우 영양상태 사정, 체중 측정이 필요하다.

⑤ 요로계
- 전신마취나 척수 마취 후 소변 정체가 있을 수 있다.
- 배뇨곤란 시 도뇨관을 삽입하고 소변의 색, 혼탁, 양 등을 관찰한다.

⑥ 위장관계 : 오심, 구토 및 장 연동운동 감소를 확인한다.

⑦ 통증
- 수술 후 24 ~ 48시간에 가장 심하다.
- 통증자가조절장치(PCA)나 비약물 요법 등으로 통증을 조절한다.

⑧ 출혈주의 : 차고 축축하며 창백해지는 피부, 맥박수 증가, 혈압저하 등 출혈의 징후를 관찰한다.

⑨ 상처 치유
- 봉합 부위가 감염되어 상처가 팽창하고, 기침으로 인해 돌출이 일어날 수 있다.
- 수술 후 5 ~ 6일 후 발생한다.
- 반좌위로 눕힌 상태에서 무릎을 구부려 보고 이완, 돌출된 부위에 소독된 생리식염수를 적신 거즈로 덮어준다.

* 2021 아주대의료원 수술 전 간호에 대해 말해보시오.

* 2021 계명대동산 2021 연세의료원 수술 후 간호를 말해보시오.

* 2020 계명대동산 2017 부산백병원 2017 인하대 수술 후 합병증을 예방하기 위해 어떤 것을 해야 하는지 말해보시오.

* 2020 순천향서울 2016 서울성모 수술 전 금식하는 이유를 말해보시오.

* 2019 동아대 수술 전 간호 시 준비해야 하는 것을 말해보시오.

* 2015 서울성모 2014 아주대 수술 후 환자에게 쇼크가 온 경우 어떻게 할 것인지 말해보시오.

✅ 관련 **의학용어** 알고가기

✔	약 어	용 어	의 미
✓	O.R	operating room	수술실
✓	TAH	Total abdominal hysterectomy	복부를 통한 자궁적출술
✓	C/S	cesarean section	제왕절개
✓	K-T	kidney transplantation	신장이식술
✓	I&D	incision & drainage	절개와 배농
✓	D & S	debridment & suture	박리와 봉합술
✓	PDA	patent of ductus arterious	동맥관 개존증
✓	V S D	ventricular septal defect	심실중격결손
✓		anesthesia	마취
✓		postoperative recovery room	수술 후 회복실
✓	ABR	Absolute bed rest	절대 안정
✓		Drapping	방포

학습
목표

1. 복원한 기출 문제를 통해 필기 유형을 익힐 수 있다.
2. 해설을 통해 전공 개념을 확실히 할 수 있다.

PART 01 기본간호학

1 낙상 예방을 위한 노인 간호 중재로 옳은 것은?

① 억제대를 사용한다.
② 걸을 때 방해가 되지 않도록 가급적 맨 바닥을 유지한다.
③ 야간 침대 옆 휴대용 침상 변기를 둔다.
④ 이동 시 불편함 방지를 위해 수면 시 난간을 올린다.
⑤ 주관적 사정 척도를 이용한 낙상 고위험군 사정을 한다.

① 억제대 자체가 낙상 예방이 되지 않고 억제대 사용으로 인한 심한 손상을 초래한다.
② 만약의 상황을 대비하여 두꺼운 카펫을 움직이지 않도록 고정하여 깔아둔다.
④ 침상에 있는 동안은 항상 침상 난간을 올린다.
⑤ 객관적 사정 척도를 사용하여 낙상 고위험군 사정을 한다.

>>> ③

2 3세 아동이 한밤 중 열이 올라 응급실로 내원하였다. 대상자는 현재 오한을 호소하고 있으며 피부는 차고 창백하며 소름이 돋아있다. 적절한 간호중재는?

① 담요를 덮어 체온을 보온한다.
② 아이스백을 적용한다.
③ 미온수 목욕을 시킨다.
④ 수액을 통하여 수분을 공급한다.
⑤ 냉각 도모를 위하여 환기 시킨다.

현재 대상자는 발열의 단계 중 오한기(상승기)에 있다. 오한기는 시상하부가 기존 체온을 올려 열 생산의 기전이 일어나는 시기이며 10 ~ 40분간 지속된다. 활동을 제한하고 담요 등으로 보온하며 수분 섭취를 증가시키는 것이 이 시기에 적절한 간호중재이다.

>>> ①

3 다음 중 욕창 예방 간호중재로 옳은 것은?

① 빈혈 환자는 욕창 고위험군에 속한다.
② 욕창을 예방하기 위해서는 침상머리를 30° 이상 올려두어야 한다.
③ 앙와위를 주로 취하는 환자의 호발 부위는 발꿈치, 천골, 좌골결절, 척추 극돌기이다.
④ 욕창을 드레싱하는 방법은 괴사조직과 주변 조직을 촉촉한 습윤 상태로 유지하는 것이다.
⑤ 체위 변경 시에는 부드럽게 끌어야 한다.

욕창간호에 대한 질문이다. 욕창이란 특정 부위에 지속적인 압력이 가해져 순환장애로 인해 조직이 손상되는 것을 의미한다. 욕창 예방을 위해서는 2 ~ 3시간마다 체위 변경을 하고 올바른 신체선열을 유지하며, 압박부위를 지지하는 것이 중요하다. 욕창의 내재적 요인에는 영양부족 및 빈혈이 있으며 이는 영양 및 산소 공급이 불충분하여 손상이 쉽고 치유가 지연되기 때문이다.

② 침상머리를 30° 이상 높일 경우 응전력이 발생하여 욕창이 호발할 수 있다.
③ 제시된 호발 부위는 반좌위 상태의 환자의 욕창 호발 부위이다. 앙와위 시의 호발 부위는 발꿈치, 천골, 팔꿈치, 견갑골, 후두 부위이다.
④ 괴사조직은 습윤 상태로, 주변 조직은 건조한 상태로 유지하여야 한다.
⑤ 체위 변경 시에는 끄는 대신 들어서 옮겨야 한다.

>>> ①

4 TPN 제공 대상자의 간호에 대한 설명으로 옳지 않은 것은?

① 빨리 투여되지 않도록 철저한 관리가 필요하다.

② TPN 용액을 다른 약물, 혈액과 같은 관으로 투여하면 안 된다.

③ 투여 중단 시 용량을 서서히 감량해서 중단하여야 한다.

④ 감염 예방을 위해 주입용 튜브를 48시간 마다 교환해야 한다.

⑤ 혈당 조절에 신경써야한다.

감염 예방을 위해 주입용 튜브를 24시간마다 교환해야 한다.

>>> ④

5 항생제 내성균인 VRE를 가진 입원환자가 전동을 왔다. 다음 중 옳은 것은?

① 표준주의가 아닌 접촉주의를 적용하여 관리한다.

② 병실에 들어갈 때에는 마스크를 착용해야 한다.

③ 이동 시에는 대상자에게 덴탈마스크를 착용시켜야 한다.

④ 환자와 90cm의 거리를 유지하여야 한다.

⑤ 되도록 1인실에 격리하며 불가능한 경우 코호트 격리한다.

VRE 환자는 접촉주의 격리환자에 속한다. 접촉주의 격리 방침을 적용할 경우, 의료진은 대상자와 접촉 전 장갑과 가운을 착용하여야 하고 병실을 떠나기 전 장갑을 벗고 손을 씻어야 한다.
① 표준주의와 더불어 적용한다.
②③ 공기주의 격리 방침에 속한다.
④ 비말주의 격리 방침에 속한다.

>>> ⑤

6 수혈을 받던 환자가 발열, 빈맥, 두통, 저혈압, 청색증 등의 증상이 나타났을 때 우선적으로 해야 하는 조치로 옳은 것은?

① 해열제를 투여한다.

② 혈액 주입속도를 늦추며 반응을 확인한다.

③ 이뇨제를 투여한다.

④ 생리식염수를 정맥에 주입한다.

⑤ 즉시 수혈을 중단한다.

수혈부작용인 용혈반응에 대한 특징이다. 용혈반응이 나타났을 때는 우선적으로 즉시 수혈을 중단해야한다.

>>> ⑤

7 연하곤란으로 입원한 환자에게 비위관을 삽입하라는 처방이 났다. 다음 중 비위관 삽입 절차로 옳은 것은?

① 튜브의 길이는 대상자의 코에서 검상돌기까지의 길이이다.

② 삽입이 잘 이뤄지지 않을 때에는 꿀꺽 삼키게 한다.

③ 무의식 환자의 경우 좌측위를 취하거나 고개를 옆으로 돌려서 삽입한다.

④ 삽입 시 인두를 지날 때에는 고개를 뒤로 젖히도록 한다.

⑤ 튜브 삽입 시에는 코로 호흡을 하도록 한다.

① 튜브의 길이는 대상자의 코에서 귓불을 지나 검상돌기까지의 길이로 측정한다.

③ 무의식 환자의 경우 우측위를 취하거나 고개를 옆으로 돌려서 삽입한다.

④ 삽입 시 인두를 지날 때에는 고개를 약간 앞으로 숙여 식도를 넓힌다.

⑤ 튜브 삽입 시에는 삽입이 용이하도록 입으로 숨을 쉬게 한다.

>>> ②

8 다음 중 혈압 측정에 대해 올바르게 말한 사람은?

① 가현 "혈압계 커프의 폭이 넓으면 혈압은 높게 측정된다."

② 나현 "대퇴혈압은 상완혈압보다 10 ~ 40mmHg정도 높다."

③ 다현 "상완혈압 측정 시 양쪽의 혈압 차이가 5 ~ 10mmHg이면 정상이다."

④ 라현 "혈압측정 시 커프는 팔이나 대퇴 둘레보다 20% 넓은 것이 이상적이다."

⑤ 마현 "혈압기의 밸브를 너무 빨리 푼다면 수축압이 높게 측정된다."

① 커프의 폭이 넓으면 혈압이 낮게 측정된다.

② 대퇴혈압은 상완혈압보다 수축기압이 10 ~ 40mmHg 정도 높으나 이완기압은 동일하다.

④ 혈압측정 시 커프는 팔이나 대퇴의 둘레의 40% 정도의 너비, 혹은 팔의 지름보다 20% 넓은 것이 이상적이다.

⑤ 혈압기의 밸브를 너무 빨리 풀 경우 수축압은 낮게, 이완압은 높게 측정된다.

>>> ③

9 다음 중 배뇨에 대한 내용으로 옳은 것은?

① 정상 소변은 산성 ~ 염기성을 모두 띨 수 있다.

② 성인은 방광에 소변이 500ml 이상 모일 경우 요의를 느낀다.

③ 정상 성인의 1일 배뇨량은 2L 이상이다.

④ 24시간 소변량이 100ml 이하일 경우 이를 핍뇨(Oligu ria)라고 부른다.

⑤ 소변에 비정상적으로 당이 포함될 경우 과다한 거품이 생성된다.

정상 소변의 pH는 4.6 ~ 8.0으로 산성 ~ 염기성을 모두 띨 수 있다.

② 200 ~ 300ml 축적될 경우 요의를 느낀다.

③ 정상 성인의 1일 배뇨량은 1,500 ~ 2,000cc이다.

④ 무뇨(Anuria)라고 부른다.

⑤ 단백뇨의 특징이다.

〉〉〉 ①

10 수술을 앞둔 환자에게 강화폐활량계 사용을 교육하려 한다. 다음 중 옳은 것은?

① 앙와위에서 고개를 측면으로 돌리고 사용한다.

② 최대한 숨을 깊게 들이마시고 호스를 입에 물도록 한다.

③ 공이 위쪽 끝에 닿을 때까지 숨을 내쉬도록 한다.

④ 대상자의 최대 흡식량을 확인하고 지표로 지정한다.

⑤ 지표가 기준선에 10초 이상 유지될 수 있도록 한다.

강화폐활량계는 수술 후 폐합병증이 발생하는 것을 예방하기 위하여 심호흡을 유도하는 기구로, 수술 전 대상자의 최대 흡식량을 지표로 삼는다.

① 좌위 혹은 반좌위를 취하게 한다.

② 최대한 숨을 내쉬고 호스를 입에 물도록 한다.

③ 대상자가 최대한 깊게 숨을 들이마실 때 공이 위치한 곳을 기준으로 삼는다. 공이 반드시 끝에 닿아야 하는 것은 아니다.

⑤ 지표가 기준선에 3 ~ 5초 유지될 수 있도록 한다..

〉〉〉 ④

주주쌤의 슬기로운 실습 4컷

🔖 PICU 편

세상에 나온지 만 30일도 채 안된 환아의 부모는 병동 구경만 할 뿐 아이를 쳐다보지도 않았다.

EMR을 살펴보던 중 학대 신고 접수가 되어 보호자를 만나야 한 다는 전화가 걸려왔다. 그러나⋯.

경찰의 연락을 받고 다시 방문한 보호자들은 처음과 완전히 상반 된 태도를 보였다.

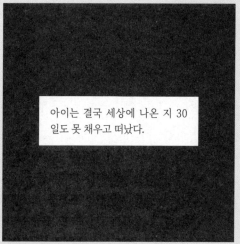

아이는 결국 세상에 나온 지 30 일도 못 채우고 떠났다.

생각보다 학대의 현장은 가까이에 있다.
나는 안일한 마음으로 아동학대를 마주했지만, 앞으로 실습하게 될 모두는 약자인 아동에게 옹호자로서 의료인의 의무에 대해 늘 생각하며 예민하게 반응하길 바란다.

더 자세한 이야기는 네이버 카페 [비컴널스]에서 확인하세요.

PART
02

성인간호학

학습
목표

1. 쇼크의 원인과 증상에 대해 설명할 수 있다.
2. 노인 간호 및 재활 과정에 대해 설명할 수 있다.

기출 키워드 | □ 아나필락시스 쇼크 □ 재활운동 □ 약물에 의한 통증 관리 □ 알레르기 반응 유형

1 쇼크

(1) 원인 ✅ 기출 '19 '17 '16

① 저혈량성 쇼크
- 혈액이나 체액 손실이 있을 때 혈량 감소로 심장으로 돌아오는 정맥혈량이 감소되어 전부하와 심박동량 감소, 심박출량 감소와 조직관류 저하, 세포대사 부전으로 인한 쇼크가 나타난다.
- 증상 : 출혈, 구토, 설사, 요붕증, 고혈당증, 화상

② 심인성 쇼크
- 심수축력 장애로 심박출량이 감소하며 정상적인 대사요구가 일어나지 못할 때 발생한다.
- 증상 : 심근경색, 심정지, 심실세동, 심근비대

③ 아나필락시스 쇼크
- 과민성이 있는 사람이 알레르기원에 노출되었을 때 신체 전신의 혈관 내에서 항원 – 항체반응으로 아나필락시스 쇼크가 발생한다.
- 세포 손상 시 염증성 화학물질의 분비로 혈관이 확장되고 모세혈관 투과성이 증가하며 심각한 저혈량 및 혈관 허탈을 초래한다.
- 증상 : 혈압 저하, 심근 수축력 감소, 기관지의 심한 부종 및 폐쇄

④ 신경성 쇼크
- 교감신경계 장애로 혈관 평활근이 이완되어 혈관이 확장된다.
- 평균 동맥압이 감소한다.
- 전신혈관 이완으로 신경성 쇼크가 발생한다.
- 증상 : 척수 손상, 심한 스트레스, 심한 통증

⑤ 패혈성 쇼크 : 혈관 내 미생물 침입으로, 미생물이 생성한 다량의 독소가 혈관 내로 들어가 전신성 염증반응을 일으켜 발생한다.

(2) 증상 ✔️기출 '16

① 호흡기계
- 호흡은 빠르고 얕아지며, 호흡수가 증가한다.
- 저산소증, 호흡성 알칼리증, 좌심부전 동반 시 호흡곤란과 수포음(Crackles)이 생긴다.

② 심혈관계
- 빈맥 상태로 맥박수가 증가한다.
- 저혈압을 유발한다.

③ 신경내분비계 : 안절부절못하거나 흥분, 불안, 저산소증 진행 시 혼돈과 기면, 의식상실 증상이 나타난다.

④ 비뇨기계
- 소변량 감소로 인한 핍뇨가 생긴다.
- 한 시간 이상의 저산소 상태 지속 시 급성 세뇨관괴사와 신부전이 발생한다.

⑤ 근골격계
- 조직 저산소증, 혐기성 대사 등으로 인해 골격근 허약 및 통증이 생긴다.
- 근육 약화 및 심부건 반사가 감소한다.

⑥ 피부계
- 혈관 수축 및 조직 관류 감소로 인해 피부가 차고 창백해진다.
- 후기에 청색증 및 축축한 피부 증상이 나타난다.

(3) 치료 및 간호 ✔️기출 '18 '16 '15

① 수액요법
- 정질성 용액 : 0.45%Nacl, 0.9%Nacl 등을 투여한다.

TIP 등장액은 혈액 내 전해질 불균형이 없을 때 저혈량 쇼크에서 가장 먼저 사용되며 성인의 경우 2 ~ 3L 수액을 공급한다. 과도한 수액 공급으로 인한 합병증을 예방하기 위해 소변량을 측정한다.

- 교질용액 : 5%알부민은 모세혈관의 교질삼투압 증가시킨다.
- 혈액 성분 : 출혈로 인한 쇼크인 경우 전혈(Whole blood)와 농축적혈구(Packed Red Cell) 주입하여 급성출혈로 인한 저산소증을 예방한다.

② 약물
- 혈관수축제 : Dopamine, Epinephrine, Norepinephrine
- 심근수축력 강화제 : Dobutamine
- 심근관류 강화제 : Sodium Nitroprusside(Nitropress)

- 항생제 : 패혈성 쇼크가 의심되면 혈액배양 검사를 진행하고 광범위 항생제를 복합적으로 사용한다.

TIP 수액 요법만으로 적절한 관류를 유지하기 어려울 경우 약물을 사용하여 심근 수축력을 강화시켜 심박출량 증가, 혈관 수축, 심박동 수를 조절한다.

③ 간호중재 ✅**기출** '16 '15

- 저산소혈증 시 고농도의 산소공급이 필요하나 지속적으로 pH 저하, $PaCO_2$ 상승을 보이면 기계적 환기가 필요하다.
- 기도 분비물 정체 시 진동, 타진, 체위배액 등을 이용하여 흉부 물리 요법을 적용한다.
- 뇌조직관류 저하로 행동변화, 안절부절못함, 혼돈 등의 의식변화가 일어나는지 관찰한다.
- 매시간 소변량을 측정하여 신장 관류상태를 확인한다.
- 체온 상승 및 저하를 확인한다.
- 심박수, 혈압, 중심 정맥압 등 불안정할 경우 15분마다 평가한다.
- 변형 트렌델렌버그 체위(Modified Trendelenburg's Position) : 하지를 $30 \sim 45°$ 높인 상태에서 무릎을 곧게 펴고 흉부와 머리를 약간 높게 두어 하지로부터 정맥귀환을 돕도록 한다.

▲ 변형 트렌델렌버그 체위

CHECK 실제 면접장에서 이렇게 물어본다 ! ●━━

＊ **2016 | 경북대** 페니실린 사용 후 아나필락시스 쇼크가 온 환자의 간호중재를 말해보시오.

❷ 노인간호

(1) 노년기 변화 ✔기출 '19 '16 '15

① 피부
- 피부탄력성이 저하되고 표피가 얇아진다.
- 멜라닌 생성 감소로 모발색이 백색으로 변화된다.
- 피부가 건조하고 거칠어진다.

② 근골격계
- 허리가 굽어져 자세가 앞으로 쏠린다.
- 척추 압박으로 길이가 감소하여 키가 줄어들고 골밀도 및 근력이 감소한다.

③ 심폐기능
- 좌심실 크기가 감소하고, 심장판막과 동맥이 두꺼워져 탄력도 감소한다.
- 호흡기계 근육 효율이 저하된다.
- 폐동맥압 증가한다.
- 기침능력이 떨어지고 분비물 제거가 어려워진다.
- 폐의 강직, 폐포 표면적이 감소하여 폐 기능도 저하된다.

④ 소화기계
- 치아가 상실되고 위산 분비효소가 감소한다.
- 위장 운동 저하로 소화능력이 저하된다.
- 쓴맛, 신맛을 제외한 맛들의 역치가 상승한다.
- 항문 괄약근 긴장도가 떨어져 변실금이 오기도 한다.

⑤ 비뇨생식기
- 불수의적 방광 수축으로 긴박뇨, 요실금이 오기도 한다.
- 방광용적, 신장 혈류 및 사구체 여과율이 감소한다.
- 여성의 경우 질 분비물 감소로 질 건조, 소양증이 발생하고 남성의 경우 전립선비대증이 발생한다.

⑥ 감각 · 신경계
- 신경 전도가 느려져 반응이 지연된다.
- 기억력이 감퇴한다.
- 숙면이 어렵고 자는 동안에도 깨어나는 횟수가 증가한다.
- 안구 건조와 시야 감소, 노안이 생긴다.

> **필기 키워드**
>
> ❶ 노년기의 피부변화는?
> ❷ 피부탄력성이 저하되며 표피가 얇아진다. 피부는 건조하고 거칠어진다.

(2) 간호중재 ✅기출 '19 '15

① 목욕 시 따뜻한 물을 이용하고 비누는 가급적 피하도록 한다.

② 피부 건조를 예방하기 위해 로션, 보습제를 사용한다.

③ 골다공증 예방 위해 칼슘제를 복용하고, 체중부하 운동을 권장한다.

④ 낙상 예방을 교육한다.

⑤ 비만일 경우 체중 감량을 권장한다.

⑥ 분비물을 묽게 하기 위해 수분 섭취를 권장한다.

⑦ 호흡기 감염에 취약하므로 감기와 폐렴 예방 위해 예방접종을 실시한다.

⑧ 소량의 음식을 자주 섭취하도록 하고 식사 후에는 앉아있도록 한다.

⑨ 취침 전에 커피, 알코올, 수분 섭취를 제한한다.

⑩ 요실금 예방 위해 케겔운동을 권장한다.

⑪ 야간등을 설치한다.

⑫ 규칙적인 수면패턴을 갖도록 하고 낮잠은 자제하도록 한다.

TIP 노인의 통증사정

사정	내용
P(통증 위치)	대상자가 통증을 느끼는 특정 위치를 조사한다.
Q(통증 양상)	대상자가 느끼는 통증을 비교적 알기 쉬운 경험에 빗대어 표현하도록 한다. **예** 날카로운 통증 – 바늘에 찔리는 느낌
R(통증 요인)	통증을 완화시키기 위하여 대상자가 수행했던 일이나 효과를 보았던 것을 이야기 하도록 한다.
S(통증 강도)	통증 강도 기준을 구체적으로 제시한다. **예** 0점은 통증이 없을 때, 5점은 통증이 강할 때를 의미한다면 현재 왼쪽 허리에서 느끼는 통증은 몇 점입니까?
T(통증 시기)	대부분 통증이 서서히 시작되어 구체적으로 기억하기 어렵다.

CHECK 실제 면접장에서 이렇게 물어본다 ! ●

✳ **2019 | 잇샛병원** 일반 성인과 75세 이상 노인의 차이점 및 간호에 대하여 말해보시오.

✳ **2015 | 분당서울대** 노인간호에서 가장 중요하다고 생각하는 것을 말해보시오.

❸ 재활

(1) 목적

① 자신의 기능을 최대로 활성화 시키고 효능을 발휘시킨다.

② 삶의 질 유지 및 달성을 목표로 한다.

③ 합병증을 예방하고, 안녕감 증진을 통해 사회 재적응을 돕는다.

④ 환자와 가족이 변화된 삶의 형태를 받아들이고 적응할 수 있도록 한다.

(2) 재활운동 ✅ 기출 '19 '14

① 수동적 운동(Passive Exercise) : 치료사에 의해 수행되고 관절의 가동범위 및 순환을 유지시킨다.

② 능동적 운동(Active Exercise) : 다른 사람의 도움 없이 스스로 수행하며 근력을 증진시킨다.

③ 저항운동(Resistive Exercise) : 만들어진 저항에 대항하는 운동으로 근력 증진에 도움을 준다.

④ 등척성 운동(Isometric Exercise) : 근섬유 길이가 변하지 않고 근육 장력만 변화하는 정적 운동(대퇴사두근 운동 등)으로 근육의 위축 및 근력 저하를 방지한다.

⑤ 등장성 운동(Isotonic Exercise) : 섬유 길이가 변하면서 근육 장력은 그대로 유지되는 동적인 운동(턱걸이, 윗몸일으키기, 아령 등)이다.

⑥ 관절 가동범위(ROM) : 관절이 가능한 최대 움직일 수 있는 범위를 유지하기 위한 운동이다.

(3) 기형 및 합병증 예방 체위

① 머리와 척추는 일직선으로 유지한다.

② 외전 방지를 위해서 팔은 팔꿈치에서 굴곡 되게 하고 하지는 신전시켜 대전자 부위에 Trochanter Roll을 적용한다.

> **필기 키워드**
> ⓝ 악성 종양이나 혈전성 정맥염, 출혈, 골수염 및 전염질환 환자에게 금지되는 물리치료는?
> ⓐ 마사지

(4) 물리치료 ✅ 기출 '20 '18 '13

① 열요법 : 진통 작용과 근연축이 감소하고 부종 흡수를 촉진시킨다.

② 냉요법 : 진통 작용과 항염증 효과가 있으며 근경련을 억제한다.

③ 마사지 : 국소적 혈액공급과 림프순환을 촉진한다. 관절 주위의 부종과 근 긴장도를 감소시킨다.

> **TIP** 악성 종양, 혈전성 정맥염, 출혈, 골수염, 전염 질환 환자에게는 마사지를 금지한다.

(5) **목발보행(Crutch Gait)**

① **방법**
- 손바닥으로 체중을 지탱하고 목발에 기대는 등 액와에 체중부하가 되지 않도록 주의한다.
- 목발마비(Crutch Palsy) : 액와에 체중을 지탱하면 상완신경총이 눌려 마비가 발생한다.
- 액와에 접하는 부위에 솜이나 고무를 대어 피부 손상 및 통증을 방지한다.

② **보행**
- 계단 보행 시 내려갈 때 : 목발, 환측 다리 먼저 내리고 건강한 다리를 움직인다.
- 계단 보행 시 올라갈 때 : 건강한 다리 먼저 올린 후 목발, 환측 다리를 움직인다.
- 4점 보행 : 양쪽 하지에 체중부하가 가능할 경우 이용한다. 안정적이나 느리다.
- 2점 보행 : 양쪽 하지에 체중부하가 가능할 경우 이용한다. 4점 보행보다 속도가 빠르다.
- 3점 보행 : 한쪽 하지에 체중부하가 가능할 경우 이용한다.
- 그네 보행 : 양쪽 하지에 체중부하가 불가능할 경우 이용한다.

❹ 통증

(1) **통증 종류**

① 표재성 통증 : 피부나 피하조직에 관련되며 국소화된 예리한 통증을 수반한다.
② 심부통증 : 혈관, 신경, 건 등에서 시작되며 통증으로 표재성 통증보다 오래 지속된다.
③ 내장통 : 복강이나 두개강 등에서 시작되며 통증이 지속적이고 넓다.
④ 연관통 : 통증 부위에서 떨어진 다른 부위에서 통증을 느끼게 된다.

(2) **통증 사정**

비경구적 약물 투여 시 15 ~ 39분 후, 경구적 약물 투여 시 1시간 후 통증을 재사정한다.

TIP 통증 사정 도구
- PQRST : 환자가 통증을 호소 시 기초자료를 확보하기 위한 도구이다.

구분	내용
P(Position)	통증의 위치
Q(Quality)	통증 양상
R(Relief or Aggravating Factor)	통증에 영향을 주는 요인
S(Severity or Intensity)	통증 강도
T(Time)	통증 시작 시기와 지속시간

- 숫자통증척도(NRS : Numeric Rating Scale) : 현재 있는 통증을 점수로 나타내어 평가하는 도구로 임상에서 가장 많이 사용한다.
- 얼굴통증척도(FPRS : Pain Affect Face Scale) : 표정을 보고 통증을 평가하며 어린이나 노인에게 사용한다.

(3) 약물에 의한 통증관리

① 비스테로이드성 소염진통제(NSAIDs) : 염증을 감소시켜 통증 완화시킨다. 위장관 출혈 예방을 위해 소화성궤양용제와 함께 투약한다.

② 마약성 진통제

- 척수의 신경전달물질 방출 차단하고 통증을 감소시킨다.
- 호흡을 억제시킬 수 있으므로 투약 전 호흡수를 사정하고 호흡 억제의 부작용이 나타나면 길항제인 Naloxone(Narcan)을 사용하여 부작용을 억제시킨다.

TIP 변비, 오심, 구토, 혼미, 진정, 호흡 억제 등이 발생할 수 있다.

③ 비약물 요법 : 물리치료, 경피적 신경자극, 마사지, 열·냉요법 등이 있다.

⑤ 알레르기 반응

(1) 정의

외부 항원에 대해 과다한 반응을 일으켜 나타나는 손상이다.

(2) 과민반응 유형 ✔기출 '20 '19 '18 '16

구분	제1유형 아나필락틱 과민 반응	제2유형 세포독성반응	제3유형 면역복합체성 과민반응	제4유형 지연성 과민반응
항체	IgE	IgG, IgM	IgG, IgM	없음
발현 시간	즉시	즉시	즉시, 지연	24 ~ 72시간
매개 물질	• 히스타민 • 비만세포 • 프로스탄글란딘	조직 내 대식세포	보체용해	• 사이토카인 • 독성T세포 • 대식세포
예	• 천식 • 알레르기비염 • 아나필락시스 쇼크 • 호흡곤란 • 부종 • 콧물 • 청색증	수혈반응	• 전신성 홍반루푸스 • 류마티스 관절염	• 접촉성 피부염 • 장기이식 거부반응

(3) **진단검사**

① 혈액검사상 IgE(면역글로불린E)수치가 높고, 호산구가 증가한다.

② 피부검사

- 첩포검사(Patch Test) : 알레르기원을 피부에 부착하여 확인한다.
- 피내반응검사(Intradermal Test) : 가장 정확한 검사로 소량의 항원을 피내에 직접 주사하여 10 ~ 20분 후 반응을 확인한다.
- 긁는 자극검사(Scratch Test) : 피내반응검사보다 둔감하지만 안전하여 소아나 민감한 환자에게 실시할 수 있다.

(4) **치료 및 간호**

① 노출차단 : 본인의 알레르기를 알고 알레르기 노출을 피한다.

② 환경조절 : 화분이나 애완동물을 키우는 것을 금지하며 여름에는 창문을 닫고 생활하도록 한다. 먼지가 덜 묻는 가구를 사용한다.

③ 약물 요법 : 국소적 스테로이드를 사용하거나 교감신경자극제를 투여한다.

> **예** Aminophyline : 호흡기 평활근 이완 효과
> Corticosteroid : 항염증 작용, 면역억제 효과
> 항히스타민제 : 부종과 가려움에 효과

④ 면역요법

- 탈감작 요법을 사용한다.
- 알레르기원을 일정 기간 동안 규칙적으로 주사하며 횟수를 거듭할수록 용량을 증가시킨다.

> **TIP** 면역요법 주의사항
> - 주사할 항원용액은 냉장고에 바로 세워서 보관한다.
> - 주사 시 아나필락시스 쇼크에 대비하고 응급처치를 준비한다.
> - 규칙적인 주사주입이 안 된 경우 주치의에게 보고하고 계획을 새로 세워야 한다.
> - 이전 주사에 부작용이 없었는지 확인 후 주사하고 매 주사 시 주사 부위를 변경한다.

(5) **아나필락시스(Anaphylaxis)** ✔**기출** '20 '19 '16

① 제1형 과민반응의 가장 치명적인 형태이다.

② 혈관과 기관지 평활근에 작용하게 되면 광범위한 혈관확장이 일어나 심박출량 감소, 저혈압, 심각한 기관지 협착이 나타난다.

> **TIP** 점막세포를 자극하여 콧물, 재채기, 눈물, 충혈, 콧물 등을 유발한다.

③ 관리

- 반응이 나타나면 파울러 자세(Fowler's Position)를 취한다.
- 기도를 유지하며 필요시 고농도의 산소를 투여한다.
- 정맥을 통해 수액을 유지하고 필요시 항경련제, 항히스타민제, 코르티코스테로이드를 사용한다.
- 가능한 빨리 Epinephrine(1:1,000) 0.3 ~ 0.5ml를 피하주사한다.
- 상기도 협착 증가 시 기관 삽관이나 응급 기관절개술을 시행한다.

(6) 라텍스 알레르기(Latex Allergy) ✔️ 기출 '19 '18

① 자극성 접촉성 피부염 : 라텍스 장갑과 관련하여 가장 빈번하게 일어나는 반응으로, 자극 물질에 대한 비알레르기성 피부 반응이다.

② IgE 매개 과민반응(제1형) : 접촉 후 30 ~ 60분 이내에 발생하며 두드러기, 발진, 비염, 결막염, 저혈압, 가려움증 등이 발생한다. 심한 경우 아나필락시스 반응이 나타난다.

③ 알레르기성 접촉성 피부염 또는 지연성 과민반응(제4형) : 접촉 후 24 ~ 48시간 내에 발생하는 지연성 면역반응으로, 접촉한 부위의 소양감, 발적, 부종 등이 발생한다.

📋 코로나 백신 부작용 주의

관련 기사

최근 코로나19 백신 접종과 함께 '아나필락시스' 등의 이상 반응에 대한 우려가 커지고 있다. 아주 드물게 아나필락시스성 쇼크로 이어질 수 있으므로 이에 대한 각별한 주의가 필요하다. 호흡곤란, 혈압감소, 심하면 쇼크로 인한 사망에 이를 수 있으므로 과거 알레르기 반응 병력을 확인하는 것이 좋다. 백신 접종 전, 병원에서 약물피부반응검사 및 약물유발검사 등을 통한 예방과 더불어 에피네프린을 소지하도록 한다.

☑️ 이렇게 물어볼 수 있어요!
아나필락시스를 우려하는 환자에게 어떻게 설명할 것인지 말해보시오.

관련 **의학용어** 알고가기

✔	약 어	용 어	의 미
✓	SIRS	systemic inflammatory response syndrome	염증 반응 증후군
✓	TNF	tumor necrosis factor	종양괴사인자
✓	MAP	mean arterial pressure	평균동맥압
✓	DIC	disseminated intravascular coagulation	파종성혈관내응고
✓	ECMO	extracorporeal membrane oxygenation	체외막 산소화 요법
✓	AST	antibiotics skin test	항생제 피부 반응 검사

CHAPTER

02 순환기계

출제빈도 ●●●●○ | 학습결과 ☺☺☺

학습 목표
1. 허혈성 심장질환에 대해 설명할 수 있다.
2. 심부전과 폐부종, 심부정맥혈전증의 차이와 간호중재를 설명할 수 있다.

기출 키워드 | □ 경피적 관상동맥 중재술 □ 우심부전 □ Digitalis 투여 간호 □ 호만씨징후

PART 02 성인간호학

---

❶ 허혈성 심장질환

(1) 협심증(Angina Pectoris) ✅ 기출 '21 '20 '19 '18 '13

① 정의 : 심근으로 공급되는 혈류의 감소로 인해 심장근육에 충분한 혈액 공급이 이루어지지 않아 갑작스럽게 흉통이 발생하는 것을 말한다.

② 원인
- 심근의 산소 공급 부족 : 죽상경화증, 대동맥 협착, 저혈압, 빈혈, 동맥경련 등으로 산소 공급이 부족해진다.
- 심근의 산소 요구량 증가 : 피로, 심근비대, 과도한 운동 등으로 산소 요구량이 증가한다.

③ 증상 및 진단
- 쥐어짜는 듯한 흉통을 겪는다.
- 3 ~ 5분 정도 지속되나 안정을 취하면 사라진다.
- 흉골 중앙 아래, 왼쪽 가슴, 팔 안쪽, 견갑골에서 방사통을 겪는다.

④ 치료
- 약물 치료 : 혈관확장제(NTG), 교감신경차단제(β - blocker), 칼슘채널차단제, 항혈소판, 항응고제제가 있다.
- 외과적 중재 : 경피적관상동맥중재술(PCI), 관상동맥우회술(CABG)이 있다.

(2) **심근경색(MI : Myocardiac Infarction)** ✅ 기출 '21 '20 '19 '18 '16 '13

① 정의 : 지속적인 심장의 허혈의 결과로 인한 비가역적인 심근세포의 괴사를 말한다.

② 원인 : 죽상경화반의 파열로 파열부위에 혈소판이 응집되고 그로 인해 혈전이 생성되고 관상동맥이 폐색된다.

③ 증상 및 진단

• 격렬하고 쥐어짜는 듯 한 분쇄성 흉통

TIP 흉통 증상

• 30분 이상 일정한 강도로 지속된다.
• 왼쪽 어깨, 양팔, 등, 목 아래, 턱 부위에서 방사통을 겪는다.
• NTG 복용 및 휴식으로도 완화되지 않는다.

• 수치 변화 : myoglobrin, CK − MB, LDH1, Troponin 상승
• 심전도검사(EKG) : T파 역전, ST분절 상승, 이상Q파가 발견된다.

④ 치료

• 약물 치료 : Aspirin, NTG, morphine, 교감신경 차단제(β − blocker) 등을 사용한다.
• 재관류 요법 : Streptokinase, Urokinase, Tissue Plasminogen Activator(t − PA)를 투여한다.

TIP 재관류 요법

• 산소를 투여한다.
• 심근의 산소요구를 감소시키기 위해 휴식이 필요하다.
• 심부전, 폐부종 예방을 위해 저염식 및 과도한 수분을 제한한다.

(3) **협심증과 심근경색 차이** ✅ 기출 '21 '20 '18

협심증	심근경색
관상동맥의 부분적 또는 일시적인 차단	관상동맥의 완전한 폐색

(4) 간호중재

① 경피적 관상동맥 중재술(PCI : Percutaneous Coronary Intervention)

- 관상동맥 내로 카테터를 삽입하여 협착, 폐쇄된 관상동맥을 재확장하는 시술이다.
- 적응증 : 약물 치료에도 반복되는 협심증 또는 CABG나 PCI 후에 발생하는 관상동맥 재협착 시 시행한다.
- 요골 동맥, 대퇴 동맥을 통해 카테터 삽입한다.
- 시술 후 혈전 예방 위해 항응고제를 투여한다. 카테터 삽입 부위는 12 ~ 14시간 동안 모래 주머니를 얹어두어 압박하고 움직이지 않아야 한다.

② 관상동맥우회술(CABG : Coronary Artery Bypass Graft)

- 협착이 된 관상동맥 원위부에 내유선동맥, 복재정맥, 우위대망동맥을 이식하여 심장에 원활한 혈류 공급을 돕는다.
- 적응증 : 다혈관 질환으로 PCI를 시행하기 어려울 경우 혹은 PCI 실패한 경우에 시행한다.

③ 니트로글리세린(NTG : Nitroglycerin)

- 복용 방법 : 5분의 간격을 두고 3회까지 투여가 가능하다. 설하에 넣고 녹여서 복용한다.
- 약의 효과가 완전할 경우 혀에서 작열감 느낄 수 있음을 설명한다.
- 효과 없으면 병원으로 가야 한다.
- 빛을 차단해야 하므로 갈색병에 보관한다.

TIP 두통, 저혈압, 현기증, 오심, 구토 등이 발생할 수 있다.

CHECK 실제 면접장에서 이렇게 물어본다!

* 2021 | 성남시의료원 협심증이랑 심근경색의 차이에 대해 말해보시오.
* 2020 | 계명대동산 심근 강화에 필요한 약물은 무엇이며 환자에게 어떻게 설명할 것인지 말해보시오.
* 2020 | 계명대동산 MI 환자에게 아스피린을 주는 이유와 부작용을 말해보시오.
* 2016 | 서울성모 MI 진단법 및 환자 스탠드 삽입 시 간호에 대하여 말해보시오.
* 2013 | 양산부산대 심근경색증 증상과 사망원인 중 주원인에 대하여 말해보시오.

❷ 심부전

(1) 정의

심장 기능 구조 및 기능문제로 각 조직에 혈류공급 장애가 발생한다.

(2) 좌심부전 ✅ 기출 '18 '17

① 정의 : 좌심부전으로 폐울혈과 호흡기계 장애가 발생한다 폐울혈로 인해 가스교환 장애로 발생한다.

② 병태생리 : 좌심실 기능부전 → 좌심실의 혈액이 폐정맥으로 역류 → 폐압력이 증가되어 폐울혈, 폐부종 발생

③ 증상

- 기좌호흡(Orthopnea), 발작성 야간 호흡곤란이 발생한다.
- 많은 양의 거품 섞인 객담 및 기침이 발생한다.
- 청진 시 악설음(Crackle Sound)이 들린다.

> **필기 키워드**
>
> ❶ **좌심부전의 진행과정은?**
>
> ❶ 좌심실 기능부전 → 좌심실 혈액이 폐정맥으로 역류 → 폐압력 증가 → 폐울혈, 폐부종 발생

(3) 우심부전 ✅ 기출 '17

① 정의 : 정맥혈 귀환 장애로 말초부종 및 정맥울혈 등이 발생하는 심장 기능 저하 상태이다.

② 병태생리 : 우심실의 기능부전으로 인해 혈액이 우심으로 역류 → 우심실의 압력 증가 → 정맥울혈 증가 → 정맥귀환 감소 → 중심 정맥압이 증가되어 말초 부종 발생

> **TIP** 대개 좌심실부전 후 우심실부전이 발생한다.

③ 증상

- 전신 부종 : 요흔성 부종(Pitting edema)이 생긴다.
- 간 비대, 우상복부 압통, 경정맥이 확장된다.
- 중심 정맥압이 상승한다.

(4) 치료 및 중재

① 심수축력 강화

- Digitalis 투여 : 심실을 이완하여 심실 내 혈액 귀환량을 높인다.
- Dopamine, Dobutamine를 투여한다.

② 심근부하 감소

전부하 감소	• 이뇨제를 투여한다. • 이뇨제 투여 시 신장에서 나트륨, 수분 배설로 순환 혈액량이 감소되어 전부하와 폐울혈이 감소한다. • 저칼륨혈증 유발할 수 있으므로 K+ monitoring이 필요하다.
후부하 감소	• 안지오텐신 전환효소(ACE) 억제제를 사용한다. • 심부전 치료 및 예방에 효과적이다. • 세동맥을 이완시켜 후부하를 감소시킨다.

③ 교감신경차단제(β − blocker)를 투여한다.

④ 가스교환 증진을 위해 산소를 공급한다.

⑤ 조직의 산소 요구량 감소를 위해 휴식 및 안정을 취한다.

⑥ 세미 파울러 자세(Semi fowler's Position)는 정맥 환류를 감소시킨다.

⑦ 수분과 염분 섭취를 제한한다.

(5) Digitalis 투여 간호 ✔기출 '20 '19 '17 '16

① 투여 전 1분 동안 심첨맥박을 측정한다.

② Digitalis 독성을 사정해야 한다.

TIP 시야가 흐리거나 노랗게 보이며 피로, 식욕부진, 오심, 구토, 졸림, 부정맥, 서맥 등의 증상이 나타난다.

③ K+ Monitoring
  • 낮은 혈청 칼륨 수치는 Digitalis의 작용을 높여 독성을 가중시킨다.
  • 높은 혈청 칼륨 수치는 DIgitalis의 효과를 저하시키므로 투여 시 정상수치를 유지해야 한다.

CHECK 실제 면접장에서 이렇게 물어본다 !

✳ 2020 | 이화여대 Digitalis 주의사항에 대해 말해보시오.

✳ 2019 | 인하대 Digoxine 투여 시 주의사항에 대해 말해보시오.

✳ 2019 | 동아대 Digoxine 투여 후 중독 증상에 대해 말해보시오.

✳ 2018 | 동아대 Digitalis 투여 후 관찰 시 두 가지 방법을 말해보시오.

✳ 2016 | 서울성모 Digoxine을 복용하는 이유에 대해 말해보시오.

❸ 폐부종

(1) 정의

폐에 체액이 과도하게 축적되는 상태이다.

(2) 증상

① 객담을 동반한 기침, 호흡곤란, 빈호흡, 빈맥, 저산소증이 발생한다.

② 폐의 천명음과 수포음을 유발한다.

(3) 치료 및 간호

① 산소 공급 : 고농도의 산소를 공급한다.

② Digitalis, Dopamine 용법 : 심근 수축력 강화시켜 심박출량을 증가시킨다.

③ 이뇨제 : 정맥 귀환량을 감소시킨다.

④ 안지오텐신전환효소(ACE) 억제제 : 전부하와 후부하를 감소시킨다.

⑤ 좌위를 취하며 정맥 절제술을 시행한다.

❹ 심부정맥혈전증(DVT : Deep Vein Thrombosis)

(1) 정의

하지 내 정맥의 혈액이 저류되거나 혈관 내피세포의 손상으로 인해 과응고 되어 혈전이 발생한다.

(2) 원인

① 장기간의 부동, 심부전, 비만 등으로 인해 정맥울혈이 발생한다.

② 정맥혈관 내피세포 손상이 원인이 된다.

③ 탈수 및 경구용 피임약 장기복용으로 인해 혈액응고 위험이 높아진다.

(3) 증상

하지 피부색의 변화, 갑작스런 하지 부종 및 감각이상, 압통, 열감 등이 발생한다.

(4) 진단검사 ✅ 기출 '18

① 정맥 도플러 초음파 검사 및 CT로 진단할 수 있다.

② 호만씨징후(Homan's Sign) : 누워서 다리 들고 발을 굽혔을 때 종아리의 통증 및 압통이 발생한다.

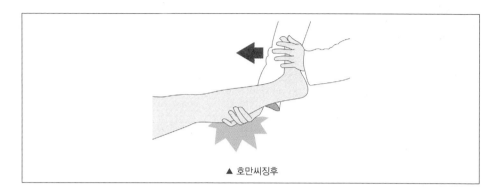

▲ 호만씨징후

(5) 치료 ✅ **기출** 20′19

① 조기이상으로 다리 근육을 활성화 시키고 체위 변경을 통해 혈전 생성을 예방한다.

② 다리를 심장 높이 보다 높이 상승시켜 부종을 완화하고, 압박스타킹을 착용시켜 혈액 정체를 예방한다.

③ 온찜질은 정맥 경련을 감소시켜 통증 및 염증 완화에 도움이 된다.

④ 항응고 요법 : 저분자량 헤파린, Coumadin(Wafarin), 혈전 용해제를 투여한다.

⑤ 심한 경우 중재 시술 Thrombectomy를 통해 혈전을 제거한다.

TIP 혈관 내부 손상을 예방하기 위해 다리에 정맥주사를 금지하며, 마사지는 혈전이 떨어져 나갈 수 있으므로 금지한다.

CHECK 실제 면접장에서 이렇게 물어본다 ! ●

✳ **2020** | 계명대동산 DVT 환자 간호에 대해 말해보시오.

☑ 관련 **의학용어** 알고가기

✔	약 어	용 어	의 미
✓	CRF	chronic renal failure	만성신부전
✓	CKD	chronic kidney disease	만성신장병
✓	ATN	acute tubular necrosis	급성세뇨관괴사
✓	CABG	coronary artery bypass graft	관상동맥우회술
✓	PCI	percutaneous coronary intervention	경피적관상동맥중재술
✓	DVT	deep vein thrombosis	심부정맥혈전증
✓	MI	myocardial infarction	심근경색

03 신경계

출제빈도 ●●●●●○ | 학습결과 ☺☺☹

학습목표

1. 의식수준에 대해 설명할 수 있다.
2. 두개 내압 상승 증상과 뇌졸중 증상에 대해 설명할 수 있다.
3. 파킨슨병의 원인 및 간호를 설명할 수 있다.

기출 키워드 | ☐ 쿠싱 3대 증상 ☐ 이뇨제 ☐ 허리 천자 ☐ 파킨슨병 ☐ 척수 쇼크

---

① 신경계 기능 사정

(1) 뇌신경 ✔ 기출 '20 '18

① 제1뇌신경
- 뇌신경 : 후각신경
- 기능 : 냄새
- 사정 : 눈을 감고 한쪽씩 코를 막은 상태에서 냄새를 맡게 한 후 어떤 냄새인지 맞추게 한다.

② 제2뇌신경
- 뇌신경 : 시신경
- 기능 : 시각
- 사정 : 시력 검사, 시야 검사 등을 실시한다.

③ 제3뇌신경
- 뇌신경 : 동안신경
- 기능 : 안구운동, 안구거상, 동공 수축
- 사정 : 대광반사에 양측 눈이 반응하는지 관찰, 눈을 깜빡거려 안검의 개폐 사정 및 안구가 6방향으로 잘 움직이는지 평가한다.

④ 제4뇌신경
- 뇌신경 : 활차(도르래)신경
- 기능 : 안구운동
- 사정 : 안구가 6방향으로 잘 움직이는지 평가한다.

> **필기 키워드**
>
> ⓠ 동안신경을 담당하는 뇌신경은?
> ⓐ 제3뇌신경

⑤ 제5뇌신경

- 뇌신경 : 삼차신경
- 기능 : 저작, 연하기능, 안면감각
- 사정 : 깨물고 삼키는 능력을 사정, 눈 감고 안전 핀으로 촉각을 사정하고, 따뜻한 물을 떨어뜨려 온각을 사정한다.

⑥ 제6뇌신경

- 뇌신경 : 외전신경
- 기능 : 안구 측면운동
- 사정 : 안구가 6방향으로 잘 움직이는지 평가한다.

⑦ 제7뇌신경

- 뇌신경 : 안면신경
- 기능 : 안면근, 혀 전면 2/3 미각, 타액분비
- 사정 : 얼굴의 대칭 및 안면근육의 수축과 혀 전면 2/3 미각을 확인한다.

⑧ 제8뇌신경

- 뇌신경 : 청신경
- 기능 : 청각, 평형감각
- 사정 : 음차로 청력 검사 실시한다.

⑨ 제9뇌신경

- 뇌신경 : 설인신경
- 기능 : 미각, 인두와 혀 후면 1/2 미각, 혀 움직임
- 사정 : 구역 반사 및 혀 후면 1/3 미각을 검사한다.

⑩ 제10뇌신경

- 뇌신경 : 미주신경
- 기능 : 자율신경계 기능 조절
- 사정 : 음성을 들어보고 연구개의 움직임을 평가한다.

⑪ 제11뇌신경

- 뇌신경 : 부신경
- 기능 : 흉쇄유돌근, 승모근 조절
- 사정 : 흉쇄 유돌근 및 승모근을 움직여보고 평가한다.

필기 키워드

Ⓠ 혀 운동을 기능하는 뇌신경은?
Ⓐ 제12뇌신경

PART 02 성인간호학

⑫ 제12뇌신경
- 뇌신경 : 설하신경
- 기능 : 혀 운동
- 사정 : 혀의 움직임을 관찰한다.

(2) **의식수준 5단계** ✓기출 '21 '20 '19 '17

구분	내용
1단계 명료(Alert)	• 정상적인 의식을 갖춘다. • 시각, 청각, 기타 감각에 대한 자극에 충분하고 적절한 반응을 즉시 보인다.
2단계 기면(Drowsy, Lethargy)	• 졸음이 오는 상태이다. • 자극에 대한 반응이 느려지고 불완전하다. • 환자의 반응을 보려면 자극의 강도를 높인다. 보통 질문이나 지시, 통각 자극에 반응한다. • 대답에 혼돈, 섬망, 불안을 보이며 외부 자극이 사라지면 다시 잠든다.
3단계 혼미(Stupor)	• 지속적이고 강한 자극에 반응을 보인다. • 간단한 질문 시 한두 마디로 대답한다. • 통증 자극에 피하려는 행동을 보이기도 한다.
4단계 반혼수 (Semicoma)	• 자발적인 근육의 움직임이 거의 없다. • 통증 자극에 어느 정도 피하려는 반응을 보인다. • 신음소리나 알아들을 수 없는 말을 중얼거리기도 한다.
5단계 혼수(Coma)	• 모든 자극에 반응 보이지 않는다. • 뇌의 연수는 기능을 유지하고 있어 대광반사는 나타난다.

CHECK 실제 면접장에서 이렇게 물어본다 !

✳ 2021 인하대 2021 영남대 2020 인제대해운대백병원 2019 인하대 2019 동아대 의식 5단계를 말해보시오.

✳ 2021 인하대 2019 인하대 2018 단국대 2013 서울성모 GCS 구성 요소 및 최저, 최고 점수와 의미 있는 점수에 대해 말해보
시오.

(3) GCS(Glasgow Coma Scale) ✅ 기출 '19 '18 '16 '13

눈뜨기(E)	자발적으로 눈을 뜸	4
	소리에 의해서 눈을 뜸	3
	통증에 의해서 눈을 뜸	2
	반응 없음	1
언어반응(V)	지남력 있음	5
	혼돈된 대화	4
	부적절한 언어 사용	3
	이해할 수 없는 언어	2
	반응 없음	1
운동반사반응(M)	지시에 따름	6
	통증에 국소적 반응	5
	자극에 움츠림	4
	이상 굴절 반응(피질박리성 굴곡)	3
	이상 신전 반응(제뇌경직)	2
	반응 없음	1

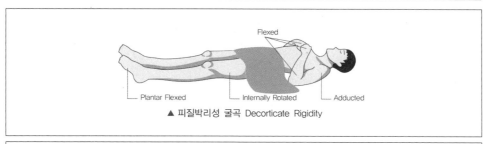

▲ 피질박리성 굴곡 Decorticate Rigidity

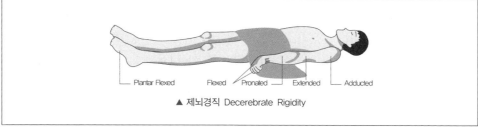

▲ 제뇌경직 Decerebrate Rigidity

② 두개 내압 상승(IICP : Increased Intracranial Pressure)

(1) 압력

① 정상 : 0 ~ 15mmHg

② 두개 내압 상승 : 20mmHg 이상

(2) 원인

뇌부종, 뇌종양, 뇌졸중, 두부손상 등으로 인한 뇌 탈출과 대사장애 및 중추신경계 감염 등에 의해 발생한다.

(3) 병태생리 ✓ 기출 '20 '18

① 두개강 내에 내용물 중 어느 한 가지라도 증가하면 두개 내압이 상승한다.

② 초기 보상기전은 뇌척수액을 척수의 거미막 하강으로 이동시키지만 두개 내 용적이 보상기전을 초과하게 되면 ICP는 상승하기 시작한다.

(4) 증상 ✓ 기출 '20 '19 '14

① 의식수준 변화 : 신경계 손상을 의미하는 가장 민감한 지표이다.

② 활력징후 변화 : 시상, 시상하부, 뇌교, 연수의 압력 증가로 발생한다.

③ 쿠싱 3대 증상

- 수축기 혈압 상승
- 서맥
- 불규칙한 호흡

④ 고열 : 악화된 뇌조직의 대사성 요구를 증가시키고 두개 내압을 더욱 상승시킨다.

⑤ 안구증상

- 동공 확대, 안검하수, 대광반사의 소실 혹은 느려진다.
- 유두부종(Papilledema) : 오래 지속된 IICP와 관련된 비특이적 증상이 나타난다. 두개 내압 상승으로 인해 중심 망막 정맥에 압력이 상승되어 정맥이 울혈되고, 시신경 유두에 부종이 일어난다.

⑥ 운동 및 감각기능 감소 : 제뇌피질 자세, 제뇌경직 자세, 바빈스키반사 양성, 통증 자극에 대한 무반응을 초래한다.

⑦ 두통 : IICP의 비특이적 징후가 나타난다.

⑧ 구토 : 오심이 없는 분출성 구토가 나타난다.

(5) **치료 및 간호** ✅ **기출** '21 '20 '19

① 호흡 유지 : 기도개방을 유지하고 적절한 산소를 공급한다.

② 약물 치료

- 삼투성 이뇨제 : 두개강 내에 채액량을 감소시켜 두개 내압을 감소시킨다.

  예 Mannitol이 가장 광범위하게 사용한다.

- Loop 이뇨제 : 전체 혈액량과 조직의 양을 감소시킨다.

  예 뇌척수액 생산율을 감소시켜 두개 내압 감소시키고, Furoemide(Las ix)가 사용한다.

- 코르티코스테로이드 : 종양과 농양 주위의 혈관부종을 조절하여 뇌혈류를 증진시키고 신경기능을 향상시킨다.

- Barbiturate : 뇌 대사량과 뇌부종을 감소시키고 뇌혈류 공급을 위해 일정한 혈액 생산을 자극한다.

③ 외과적 중재

- 뇌실루 형성술(Ventriculostomy)

- 뇌실 – 복막 단락술(V – P Shunt)

- 두개골 절제술(Craniectomy)

④ 두개 내압 상승 예방

- 머리를 15 ~ 30° 상승시킨다.

- 고체온에 주의한다.

- 혈관성 부종 감소를 위해 코르티코스테로이드를 사용한다.

- 변 완화제를 투여하여 변비를 예방하며 배변 시 힘을 주지 않도록 한다.

- 정서적으로 안정을 취하게 하며 불안 및 초조함을 예방한다.

TIP 기침, 재채기, 발살바(Valsalva)수기는 두개 내압을 상승시키므로 금지한다.

CHECK 실제 면접장에서 이렇게 물어본다 ! ●

※ **2020** 인제대해운대백병원 ICP가 상승하는 경우를 말해보시오.

※ **2019** 인하대 **2018** 단국대 **2014** 서울성모 IICP에 대해 말해보시오.

※ **2020** 인제대해운대백병원 ICP 상승 예방 간호에 대해 말해보시오.

※ **2020** 영남대 **2019** 인하대 ICP 상승 환자 간호에 대해 말해보시오.

❸ 뇌졸중(CVA : Cerebrovascular Accident)

(1) **정의**

뇌혈류 장애로 인해 중추신경계에 기능 장애가 오는 것을 말한다.

(2) **원인**

색전에 의해 폐쇄되거나 뇌혈관에 출혈이 발생했을 때 유발한다.

> **필기 키워드**
>
> ⓡ 뇌졸중의 원인은?
>
> ⓐ 색전에 의한 폐쇄 혹은 뇌혈관 출혈이 원인이다.

(3) **증상** ✅ 기출 '20 '17

① 오심, 구토, 두통, 느린 언어, 안구 진탕 등의 증상이 나타난다.
② 마비된 부위의 일측성 장애가 발생한다.
③ 감각, 운동, 인지 및 기능 장애 등 다양한 신경 손상 증상이 나타난다.
④ 실어증, 구음 장애, 연하곤란이 발생한다.
⑤ 소변의 수의적 조절 장애로 인해 빈뇨, 긴박뇨가 발생한다.
⑥ 우울증을 유발하며 사회적으로 위축된다.

(4) **치료 및 간호**

① 약물 요법

혈전 용해 치료법	• t − PA(Tissue Plasminogen Activator)를 투여한다. • 죽상경화증이 발생한 부위의 피브린 용해를 촉진한다. • 증상이 발현되고 3 ~ 4시간 이내 투여한다. • 치료 개시가 빠를수록 예후가 좋다.
항응고제	• Coumadin, Heparin을 투여한다. • 출혈 가능성이 없는 색전성, 혈전성 뇌졸중에 사용한다. • 멍, 혈뇨, 잠혈, 코피 등 출혈에 주의한다.
항혈소판 제제	• Aspirin, Clopidogrel, Ticlopidine을 투여한다. • 저용량의 아스피린은 2차 뇌졸중의 위험도를 감소시킨다.
두개 내압 하강제	• Mannitol, Dexamethasone을 투여한다. • 두개 내압을 감소시킨다.
항경련제	• Phenytoin, Phenobarbital을 투여한다. • 발작 시 사용한다.
환원 효소억제제제 (Statin)	• 관상동맥질환이나 뇌졸중을 완화시킨다. • 콜레스테롤 수준과 상관없이 뇌졸중 예방에 사용한다.

② 외과적 치료 : 두개 내외 우회로 조성술, 경동맥 내막 절제술, 경동맥 스텐트, 동맥류 경부 결찰 등이 있다.

③ 간호중재

- V/S 및 신경학적 증상을 사정하고 의식 변화, 뇌압 상승 Sign을 확인한다.
- 마비환자에게는 수동적 ROM을 실시하여 마비 부위 기형을 예방한다.
- 산소를 제공하고 뇌조직 관류를 위해 기도를 유지한다.
- 두개 내압을 상승시키는 배변으로 인한 긴장, 과다한 기침, 발살바 수기를 금기한다.
- 항혈전제 투여 시 출혈에 주의하며 구토, 두통, 복부 팽만, 방광 팽만을 관찰한다.

④ 연하곤란 대상자 간호

- 식전, 식후 구강 간호를 실시한다.
- 뺨을 잡고 머리와 목을 약간 앞으로 기울게 하여 음식을 충분히 씹지 않은 상태로 음식물을 넘기지 않도록 한다.
- 액체보다는 연식이 더 좋으며 묽은 액체는 피한다.
- 조금씩 먹으며 마비가 없는 쪽으로 씹게 해야 한다.
- I/O를 측정하면서 경우에 따라 정맥 주입 및 영양보충이 필요하다.

📋 '모야모야병' 뇌졸중 발병 위험 높여…

관련 기사

모야모야병은 10세 전후 소아와 40 ~ 50대 성인, 특히 여성에게 호발하며 국내 소아 뇌졸중의 주요 원인으로 꼽히고 성인의 경우에는 뇌출혈의 빈도가 늘어난다. 소아 모야모야병은 진행이 빠른 반면에 성인 모야모야병은 다소 느리게 진행되는데, 이는 유전적인 소인과 매우 밀접하다는 결과가 발표되었다. 대부분 모야모야병 증상을 보인 환자들은 일반인에 비해 뇌졸중 위험이 크며 재발률 역시 높다. 특히 성인의 경우 약 23%는 뇌출혈, 33%는 뇌허혈 증상으로 발현된다. 인천성모병원 뇌병원 신경외과 교수는 "모야모야병은 뇌졸중의 빈도가 일반인에 비해 훨씬 높고 뇌출혈 발생 시에는 사망률이 매우 높다"며 "모야모야병 가족력이 있거나, 모야모야병 진단을 받게 되면 무증상이더라도 적극적인 관리와 치료가 필요하다"고 당부했다.

＊ 모야모야병(Moyamoya Disease) … 뇌 속 동맥혈관 말단부위가 좁아지다가 막히면서 혈류가 부족해져 허혈성 증상이나 또 부족한 혈류량을 보전하기 위해 생겨난 혈관의 파열로 출혈성 뇌졸중이 발생하는 질환

☑ 이렇게 물어볼 수 있어요!
뇌졸중 환자의 간호중재에 대해 말해보시오.

---

④ 뇌수막염(Meningitis)

(1) 정의

뇌와 척수를 둘러싸고 있는 연막과 거미막의 급성 감염으로 뇌척수액의 염증이 나타난다.

(2) 증상 및 징후 ✓기출 '20 '19 '16 '15

① 심한 두통, 쇠약, 오심, 구토, 오한, 발열을 호소한다.

② 불안정, 혼미, 반혼수 순서로 의식상태가 변화한다.

③ 경련성 발작이 나타난다.

④ 수막염의 3대 징후

  • 케니그(Kernig) 징후 : 환자의 대퇴를 복부 쪽으로 굴곡을 시키고 무릎은 대퇴와 $90°$를 이루도록 신전시켰을 때 대퇴후면의 통증 및 무릎의 저항과 통증을 느낀다.

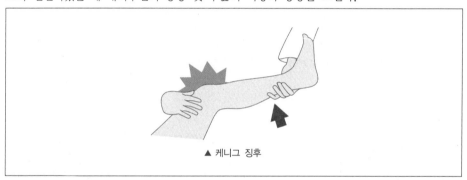

▲ 케니그 징후

  • 브루진스키(Brudzinski) 징후 : 목을 굴곡을 시켰을 때 목의 통증 및 양쪽 하지에 굴곡이 생긴다.

▲ 브루진스키 징후

  • 경부 강직(Neck Rigidity) : 목을 굴곡을 시켰을 때 목이 뻣뻣해지고 통증이 동반된다.

(3) **진단검사**

① 뇌척수액 검사

- 뇌척수액에서 단백질 수치는 상승한다.
- 포도당은 대개 감소하나 농성이고 혼탁하다.
- 다형핵 백혈구 수가 증가한다.

TIP 두개 내압 상승 환자에게는 허리 천자를 금지한다.

② 혈액 검사와 CT 및 MRI를 실시한다.

(4) **치료 및 간호**

① 항생제 다량 투여 : Ampicillin, Penicillin, Cephalosporin, Vancomycin을 투여한다.
② 고삼투성 제제와 스테로이드 투여 : 두개 내압 상승 예방 및 뇌부종을 감소시킨다.
③ 두통 완화를 위해 Acetaminophen을 투여한다.
④ 초기에 두통, 고열, 대뇌피질 자극으로 인한 경련 발생할 수 있다.
⑤ 광선공포증이 있을 수 있어 방을 어둡게 유지하고 주위 환경자극을 감소시킨다.
⑥ V－P Shunt를 실시한다.

❺ 허리 천자(Lumbar Puncture)

(1) **천자 부위**

$L_3 - L_4$, $L_4 - L_5$에 시행한다.

(2) **목적** ✔**기출** '19 '16 '13

① 뇌척수액압을 측정하고 뇌척수액 검사물을 채취한다.
② 뇌척수액의 순환상태를 보기 위해 척수액 역동검사(Queckenstedt's 검사)를 실시한다.
③ 지주막하강으로부터 혈액·농 제거를 위해 실시한다.
④ 약물과 혈청을 주입한다.

TIP 정상 검사 결과

구분	정상 수치	구분	정상 수치
뇌척수액압	5 ~ 15mmHg (7 ~ 20cmH$_2$O)	단백질	15 ~ 45mg/dL
비중	1.007	포도당	50 ~ 80mg/dL
색상	무색, 투명	적혈구	미검출

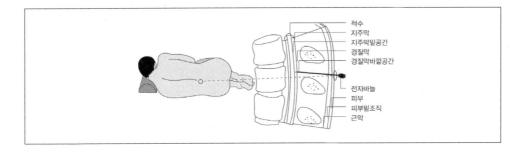

지주막
지주막밑공간
경질막
경질막바깥공간

전자바늘
피부
피부밑조직
근막

(3) **간호** ✓ **기출** '16 '15 '13

① 검사의 시행 목적 및 충분한 절차를 설명한다.

② 검사 전 배뇨 및 배변하도록 한다.

③ 검사 전 옆으로 누워 다리를 구부려 복부에 놓고 머리를 숙여 척추 간격을 넓힐 수 있도록 한다.

④ 검사 후 척수성 두통 감소 및 뇌척수액 유출 예방을 위해 6시간 이상 침상에 누워 머리는 들지 않도록 한다.

⑤ 뇌척수액 유출 여부를 사정한다.

⑥ 두통을 사정하고 필요시 진통제를 투여한다.

> **TIP** 두개 내압 상승 환자, 유두 부종 대상자, 뇌종양 의심 환자는 뇌척수액의 급격한 제거로 뇌 탈출 위험이 있기 때문에 허리 천자를 금지한다.

CHECK 실제 면접장에서 이렇게 물어본다 !

＊ **2019** | 인하대 허리 천자를 하는 이유를 말해보시오.

＊ **2016** | 서울성모 **2013** | 서울성모 허리 천자 자세와 간호에 대해 말해보시오.

6 뇌전증(Epilepsy) ✅ 기출 '23 '22 '20 '18

(1) 정의

발작적이고 통제할 수 없는 뇌신경 세포의 전기적 방전에 의해 발생한다.

(2) 종류

① 부분발작

발작 종류	내용
단순 부분 발작 (Simple Partial Seizure)	• 의식 변화는 없음 • 운동, 감각, 자율신경, 정신증상 발생
복합 부분 발작 (Complex Partial Seizure)	• 의식 변화 있고 발작 동안 기억 못함 • 목적 없는 반복적인 행동(자동증), 초점이 없는 눈

② 전신발작

발작 종류	내용
소발작 (Petit Mal Seizure)	• 5 ~ 10세 호발 • 5 ~ 10초 이내 종료 • 행동의 일시적 정지가 있으나 근긴장성은 있음
대발작 (Generalized Tonic – Clonic Seizure)	• 전신 발작 중 가장 흔함 • 근육의 수축과 이완이 교대로 나타나고 사지의 경직 • 30 ~ 60초 지속되며 근육이 율동적으로 경련 • 빈맥, 요실금, 청색증, 타액 과도분비 동반
근간대성 경련 발작 (Myoclonic Seizure)	빠르고 순간적인 근육의 경직, 경련이 한번 또는 연달아 반복
무긴장성 발작 (Atonic Seizure)	• 몇 초 동안의 갑작스런 근육 긴장 소실 • 갑자기 걷다가 넘어짐
간대성 발작 (Clonic Seizure)	의식소실, 갑작스러운 근긴장도 소실, 비대칭적 사지 경련

(3) 병태생리

세포의 삼투성을 변화시키는 요인과 이온 농도 변화에 의해 비정상적인 신경세포 활성화 → 흥분성 및 억제성 신경세포의 불균형 → 뉴런 과흥분 → 뇌신경 세포의 비정상적인 전기 방출 → 경련

(4) 진단검사

① 뇌파검사 : EEG(Electroencephalography)
② Brain CT와 MRI를 실시한다.

(5) **치료 및 간호** ✅ 기출 '23 '22

① 약물 : 경련을 조절한다.

- 급성 뇌전증 발작 : Lorazepam(Ativan), Diazepam(Valium)을 투여한다.
- 대발작 : Phenytoin(Dilantin)을 투여한다.

TIP 무과립구증, 잇몸과잉증식, 소화기장애, 구강염 등이 발생할 수 있다.

② 뇌질환으로 인한 발작 시 수술적 중재가 필요하다.

③ 경련 시 청색증이 나타나면 산소를 제공해준다.

④ 분비물로 인한 흡인이 되지 않도록 고개를 옆으로 돌려준다.

⑤ 경련 중 억제대 적용은 금하며 조이는 옷은 풀어준다.

⑥ 안전한 환경 마련

- 낮은 침대 사용, 방을 어둡고 조용하게 유지하여 자극 없는 환경을 마련한다.
- Side Rail을 올려주며 푹신한 것을 대주어 손상을 방지한다.

⑦ 자극을 주는 스트레스원을 제거한다.

⑧ 뇌전증 환자임을 알리는 증명서를 지참하고 필요시 도움 받도록 교육한다.

TIP 억지로 입안을 벌리는 행위나 물건을 넣는 행위, 환자를 억제하는 시도는 금지한다.

🗂️ **자폐가 동반되는 뇌전증, 치료 가능성 나오고 있어..**

관련 기사

자폐 환자에게 발병하는 뇌전증의 발병 기전을 밝혀 약물치료 가능성이 제시되고 있다. 사회적 상호작용 및 의사소통이 결여되고 상동행동 등을 나타내는 질병인 자폐증은 세계적으로 발병률이 꾸준하게 증가하고 있는 추세이다. 자폐 환자에게 빈번하게 동반되는 뇌전증 위험 유전자로는 ANK2 유전자로 뇌전증의 발병원인을 밝혀내고 있다.

☑️ **이렇게 물어볼 수 있어요!**
뇌전증에 사용하는 약물을 말해보시오.

CHECK 실제 면접장에서 이렇게 물어본다 !

※ 2021 | 보훈병원 뇌전증 간호에 대해서 말해보시오.

※ 2020 | 성균관대 뇌전증 환자 발견 시 간호에 대해 말해보시오.

❼ 파킨슨병(PD : Parkinson's Disease)

(1) 정의

기저핵의 뉴런을 침범하는 만성퇴행성 중추신경계 장애이다.

(2) 원인 ✅기출 '15

뇌 기저신경절 안 도파민이 부족할 경우 나타난다.

(3) 병태생리 ✅기출 '17

중뇌에 있는 흑색질무늬체 경로에 퇴행성 변화 발생 → 흑질에서 도파민 뉴런 파괴 → 도파민 양, 억제성 신경전달물질 감소 → 불수의적 운동 및 진전 발생, 근육 긴장도 상실, 경직 유발

(4) 증상 및 징후

① 떨림, 진전(Tremor)
  • 신체 부분이 율동적으로 흔들리는 상태로 파킨슨 환자의 특징적인 최초 증상이다.

  TIP 전신 허약감, 피로감, 무표정한 얼굴, 저작 및 연하곤란, 우울, 치매 등의 2차 증상이 나타난다.

  • 상지의 일부에서 시작하며 휴식 시 손, 발, 턱, 입술, 얼굴 하부근육, 머리에서 나타난다. 활동을 시작하면 감소하고 자는 동안에는 사라진다.
  • 엄지와 검지가 서로 다른 방향으로 떨리게 되면서 마치 손끝에 알약을 쥐고 굴리는 듯한 모습인 환약 제조양 떨림(Pill – Rolling Tremor)이 나타난다.

② 경축(Rigidity)
  • 자세가 굽는다.
  • 사지를 수동적으로 신장시킬 때 간헐적으로 움찔거리는 율동적인 경축이 발생한다.

③ 서행증 : 자율적 운동의 점진적인 소실을 보인다.

④ 체위불안정
  • 보폭이 좁아져 종종거리는 걸음 및 발을 질질 끄는 경향이 있다.
  • 움직임을 시작하는 것이 어렵고 매우 느린 동작이 특징이다.

(5) 치료 및 간호 ✅기출 '15 '14

① Levodopa(L – dopa) 투여
  • 뇌 속에서 도파민으로 전환되어 부족한 도파민을 보충한다.
  • 공복 시 가장 흡수가 잘되나 오심이 있으면 음식물과 함께 복용해야 한다.

  TIP 오심, 환각, 체위성 저혈압 증상이 나타날 수 있다.

② 알코올은 길항작용을 하므로 알코올 섭취를 피해야 한다.

③ 비타민B6(Pyridoxine)은 간에서 Levodopa 전환을 증가시켜 뇌에서 도파민 전환을 감소시키므로 섭취를 피한다.

④ 항콜린성제제(Artane, Cogentin) : Levodopa 반응이 없는 환자에게 Levodopa와 병행하여 투여한다. 진전 완화와 근육강직에 약간의 효과를 볼 수 있다.

⑤ 운동 및 마사지를 격려하여 기동성을 높인다.

⑥ 일상생활 및 활동을 스스로 할 수 있도록 격려한다.

⑦ 고칼로리 식이를 권장하나, 소화하기 쉬운 식이로 조금씩 자주 섭취한다.

관련 기사

파킨슨병 유발하는 새로운 유전자 발견

고령사회에 들어서면서 급증하는 파킨슨병이 TPBG(Trophoblast Glycoprotein) 유전자 기능 이상으로 발병한다고 최근 연구결과를 발표했다. 연세대 의과대학 생리학교실 공동연구팀은 연구팀은 줄기세포, 생쥐 배아에서 TPBG의 유전자 발현 특징을 밝혔다. 성체 생쥐에서 TPBG와 파킨슨병 사이의 연관성을 조사, TPBG가 배아줄기세포에서 유래된 중뇌 도파민 신경세포에서 특이적으로 발현하는 것을 발견했다. 연구팀은 파킨슨병 운동장애를 확인할 수 있는 걸음걸이 분석 등 행동실험을 했는데, 그 결과 운동 수행과 협응·감각운동 기능에 이상이 있었다. 연구 결과를 바탕으로, TPBG 유전자 기능 이상과 파킨슨병의 발병 기전 사이 연관성에 대한 가설을 제시했다. TPBG가 정상적인 기능을 수행하지 못하는 상황에서 노화와 같은 트리거가 가해지면 TPBG가 매개하는 다양한 세포 내 역할들이 상호 간의 균형이 붕괴되고 결국 도파민 세포의 사멸로 이어져 파킨슨병 증상을 야기하는 것으로 보인다.

☑ **이렇게 물어볼 수 있어요!**
　파킨슨병의 최초 증상과 간호중재를 말해보시오.

CHECK 실제 면접장에서 이렇게 물어본다 !

＊ 2015 | 중앙보훈 파킨슨병의 원인과 주요 증상에 대해 말해보시오.

＊ 2014 | 대전보훈 파킨슨병 환자가 ㅣ-dopa를 복용할 경우 환자에게 전달할 중요사항을 말해보시오.

⑧ 중증 근무력증(MG : Myasthenia Gravis) ✔기출 '18 '16 '15

(1) 정의
침범된 수의근의 허약감과 피로감이 특징인 만성 신경근성 자가면역 질환이다.

(2) 원인
① 병태생리 : 항아세틸콜린 항체가 아세틸콜린 수용체 침범 → 신경근 접합부의 아세틸콜린 수용체 감소 → 화학적 전달 차단 → 근육의 수축 방해
② 환자의 80%가 비정상적 증식된 흉선조직을 갖고 있다.

(3) 증상
① 복시, 안검하수, 전신쇠약 증상이 나타난다.
② 골격근의 약화(85%)와 하행성 운동마비가 발생하며 휴식을 취하면 회복된다.
③ 안검근, 외안근의 침범으로 연하곤란 증상과 무표정한 얼굴, 목소리는 약해진다.
④ 목, 어깨, 엉덩이 같은 근위부 근육의 침범으로 팔과 손 근육이 쇠약해진다.
⑤ 병변 부위의 감각과 반사소실되며, 근위축은 드물다.
⑥ 질병 악화 시 늑골 간 근육과 횡격막의 쇠약으로 폐활량이 감소하고, 근무력증 위기를 초래한다.
⑦ 호흡기계 합병증 위험이 높으며, 기관 내 삽관 및 기계 환기가 필요하다.

(4) 진단
① 혈액검사 : 아세틸콜린 수용체 항체 증가(85 ~ 90%)한다.
② Tensilon 검사 : Tensilon을 정맥 주사 후 근육 수축의 향상을 보인다. 약해진 근육이 강해지는 느낌이 든다면 양성이다.
③ CT : 흉선종, 흉선의 과증식

(5) 치료 및 간호
① 약물
• 콜린분해 효소 억제제 : Neostigmine(Prostigmin), Pyridostigmine(Mestinon)는 아세틸콜린의 분해를 방해한다.
• 면역 억제제 : 아세틸콜린 수용체를 파괴하는 항체를 감소시킨다.
② 혈장교환, 흉선절제술을 실시한다.
③ 근무력성 위기, 콜린성 위기 증상이 나타난 경우 의사에게 알릴 것을 교육한다.

구분	근무력성 위기	콜린성 위기
원인	약물 용량이 부족한 경우, 스트레스, 감염 등이 원인이다.	콜린분해 효소 억제제 과다복용이 원인이다.
진단	Tensilon 정맥 주입 후 근육 수축이 나타난다.	Tensilon 복용 1시간 안에 허약감, 안검하수, 호흡곤란 같은 골격근 허약 증상이 나타난다.
증상	호흡과 맥박이 증가하며 텐실론 검사(근력 강화)를 실시하도록 한다.	서맥, 오심, 구토, 연하곤란, 발한, 분비물 증가 등을 보인다.

④ 호흡기계 합병증 감소를 위해 기도흡인을 예방한다.

⑤ 스트레스, 고열, 자외선 노출을 피하도록 한다.

❾ 척수 손상

(1) 부위

$C_1 - C_2$, $C_4 - C_6$, $T_{12} - L_1$, $L_4 - L_5$에 호발한다.

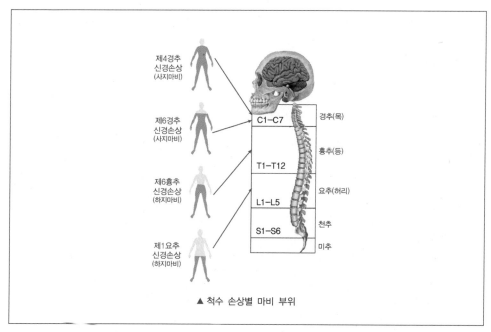

▲ 척수 손상별 마비 부위

(2) **원인**

교통사고, 낙상 등에 의한 외상, 과도 굴절, 척추 압박 등이 원인이다.

(3) **증상 ✅ 기출** '20 '18 '17 '15

① 손상 부위 이하의 감각 상실과 운동기능이 마비된다.

② 통증, 마비, 의식을 상실한다.

③ 호흡근 마비로 폐 기능이 저하된다.

④ 기립성 저혈압이 발생한다.

⑤ 신경인성 방광, 성기능 장애가 발생한다.

⑥ 자율신경 증후군

- 척수 쇼크(Spinal Shock) : 척수 손상 직후 손상 부위 이하의 반사소실, 무긴장성 마비, 자율신경계 이상으로 인한 서맥, 저혈압 등의 일시적으로 기능이 정지된다.

TIP 저혈압, 서맥, 체온조절 능력 상실, 반사소실, 마비성 장폐색, 감각 저하 등의 증상이 나타난다.

- 자율신경 반사부전 : T_6의 손상으로 교감신경계 통제가 불가하다.

TIP 고혈압, 두통, 복시, 발한 등의 증상이 나타난다.

(4) **치료 및 간호 ✅ 기출** '20 '19

① 손상 직후 부목으로 고정하고 신체선열을 유지시킨다.

② 호흡곤란 호소 시 기관 삽관을 대비한다.

③ 분비물이 있는 경우 필요시 흡인기로 객담 제거하고, 가습 및 수분을 제공한다.

④ 2 ~ 3주 후 강직이 올 수 있음을 교육하고 ROM을 시행하여 경축을 예방한다.

⑤ 2시간마다 체위를 변경해주며 돌아누울 경우 통나무 굴리기로 체위를 변경한다.

⑥ 탄력스타킹을 착용한다.

⑦ 요실금, 요정체가 있을 수 있으므로 필요시 도뇨관을 삽입한다.

⑧ 강직 시 근 이완제를 투여하여 완화시킨다.

⑨ 조용하고 편안한 환경을 유지한다.

* 2020 | 계명대동산 4번 경추 손상 시 증상에 대해 말해보시오.
* 2019 | 인하대 척추 손상 환자 및 척추 환자 간호에 대해 말해보시오.
* 예상질문 척수 쇼크의 증상에 대해 말해보시오.
* 예상질문 중증 근무력증 환자에게 콜린분해 효소 억제제를 사용하는 이유를 말해보시오.
* 예상질문 중증 근무력증이 악화될 경우 어떤 증상을 보이는지 말해보시오.

✓ 관련 **의학용어** 알고가기

✔	약 어	용 어	의 미
✓	IICP	intracranial pressure	두개 내압 상승
✓	BBB	blood brain barrier	혈액뇌장벽
✓	CSF	cerebrospinal fluid	뇌척수액
✓	PD	Parkinson's disease	파킨슨병
✓	PNS	peripheral nervous system	말초신경계
✓	ANS	autonomic nervous system	자율신경계
✓	TIA	transient ischemic attack	일과성 뇌허혈발작
✓	MG	myasthenia gravis	중증 근무력증
✓	PTE	pulmonary thromboembolism	폐색전증
✓	ABGA	arterial blood gas analysis	동맥혈 가스검사

호흡기계

출제빈도 ●●●○○ | 학습결과 ☺☺☹

학습
목표

1. 호흡기계 질환의 증상과 진단 검사에 대해 설명할 수 있다.
2. 약물 요법에 대해 설명할 수 있다.

기출 키워드 | □ 편도 절제술 간호 □ 결핵 증상 □ 약물 □ 만성 폐쇄성 폐질환 □ 천식

1 편도선염(Tonsillitis)

(1) 정의

백혈구, 박테리아 등이 음와(Crypt)에 축적되어 편도조직이 비대해진 상태이다.

(2) 원인

① group - A 용혈성 연쇄상구균이 가장 흔한 원인이다.

② Staphylococcus aureus, Hemophilus influenza, pneumococcus 등이 원인이다.

(3) 증상

① 인후통, 오한, 두통, 근육통, 전신 권태감, 경부 림프절 부종의 증상이 나타난다.

② 촉진 시 압통이 느껴진다.

③ 편도에서 화농성 분비물이 발생한다.

(4) 치료 및 간호 ✔기출 '20 '19 '16

① 항생제(Penicillin, Erythromycin)를 투여한다.

② 부드럽고 자극이 없는 음식을 섭취해야 한다.

③ 필요시 진통제와 해열제를 투여한다.

④ 따뜻한 식염수로 구강함수를 한다.

⑤ 목에 Ice Collar를 대주면 불편감 완화에 도움이 된다.

⑥ 재발이 잦을 경우 편도 절제술을 시행한다.

(5) 편도 절제술(Tonsilectomy) 간호

① 수술 후에는 세미 파울러 자세(Semi Fowler's Position)를 유지하여 분비물이 흡인되지 않도록 한다.

② 출혈 주의

- 활력징후를 사정하고 목 뒤를 정기적으로 확인한다.
- 자주 삼키는 듯한 행위, 불안 등을 관찰한다.
- 필요시 진통제를 사용하되 Aspirin은 금지한다.

TIP 심한 기침, 가래 뱉기, 코풀기 등은 금지한다. 또한 빨대 사용은 상처를 건드리거나 출혈을 유발할 수 있으므로 금지한다.

③ 얼음조각이나 아이스크림 같은 차갑고 부드러운 음식을 제공한다.

④ 거친 음식과 산성 주스는 목을 자극하므로 제한한다.

⑤ 수분 섭취를 권장한다.

필기 키워드

ⓠ 편도선염에 투여하는 약물에는 무엇이 있는가?

ⓐ 항생제 페니실린, 에리트로마이신을 투여한다.

② 폐렴(Pneumonia) 〰️ **기출** '21 '20 '18 '16 '14

(1) **정의**

폐조직의 부종과 폐포의 수분 이동을 야기하는 염증성 과정이다.

(2) **원인균**

① 지역사회성 폐렴

- Mycoplasma pneumonia, Haemophilus influenza, Staphylococcus aureus 등이 있다.
- Staphylococcus pneumonia은 가장 흔한 폐렴이다.

② 병원성 폐렴

- Staphylococcus aureus, Pseudomonas aeruginosa, Enterobacter, Klebsiella 등이 있다.
- 병원성 폐렴은 기계적 환기 환자, 부동환자, 고령, 수술 등의 환자에게 호발한다.

(3) **증상**

① 호흡곤란, 흉통, 두통, 발열, 오한, 기침, 객담의 증상이 나타난다.

② 악설음(Crackles) : 폐부종이 있는 경우에 들린다.

③ 천명음 : 기도 염증과 분비물 증가로 인해 들린다.

④ 늑막흉막의 염증으로 흡기 시 흉통을 느끼며 타진 시 둔탁음이 들리고 호흡음은 감소한다.

⑤ 호흡성 산증을 유발한다.

(4) 진단검사 ✅ **기출** '20

① 객담검사 : 원인균의 50% 정도 확인이 가능하다. 균배양 검사에 영향을 줄 수 있으므로 항생제 투여 전 검체를 수집한다.

② 혈액검사 : WBC가 상승하고 호중구가 증가한다.

③ 흉부 X선 검사 : 폐렴 조기 진단에 필수적이며 폐 침윤을 확인할 수 있다.

(5) 치료 및 간호 ✅ **기출** '20 '19 '17

① 항생제 투여

• 객담검사, 혈액배양검사에 따라 균에 맞는 항생제를 선택한다.

• 항생제 부작용을 관찰한다.

TIP 오심, 구토, 발진, 소양감, 쇼크 등

② 발열 시 해열제를 사용한다.

③ 기관지 경련 시 기관지 확장제를 사용한다.

④ 저산소증 예방을 위해 산소요법을 시행한다.

⑤ 기침과 심호흡 격려, Inspirometer를 사용한다.

⑥ 고탄수화물, 고단백 음식 섭취를 권장한다.

⑦ 수분 섭취를 권장한다.

CHECK 실제 면접장에서 이렇게 물어본다 !

∗ **2020 | 영남대** 편도선염 환자 간호에 대해 말해보시오.

∗ **2020 | 인제대해운대백병원** 폐렴의 간호진단을 말해보시오.

∗ **2021 | 성남시의료원** 폐렴의 증상을 말해보시오.

③ 폐색전증(PTE : Pulmonary Thromboembolism)

(1) 정의

폐동맥 내의 하나 또는 그 이상의 색전으로 인해 폐의 혈관을 막은 상태이다.

(2) 특징

폐포의 관류저하가 발생한다.

(3) 위험 요인

심부정맥 혈전증, 외상, 수술, 부동, 비만, 울혈성 심부전, 심근경색, 임신, 산후 기간, 피임약
이 위험 요인으로 작용한다.

(4) 증상 ✔ **기출** '20 '19 '17

① 호흡곤란, 빈호흡의 증상이 나타난다.

② 흉통을 느낀다.

③ 폐동맥압이 상승하고 저혈압과 저산소증이 발생
한다.

④ 기침, 객혈을 유발한다.

⑤ 빈맥과 목 정맥의 확장을 유발한다.

⑥ 흔히 심부정맥 혈전증이 같이 동반되므로 한쪽 다리의 통증, 열, 부종이 발생한다.

⑦ 무증상의 경우도 있다.

> **필기 키워드**
>
> ⓠ 폐색전증 환자의 호흡기계 증상은?
> ⓐ 흉통, 저혈압, 청색증 등

(5) 진단

① 혈액검사 : d-dimer 상승, ABGA(PaO_2 감소, $PaCO_2$ 증가)

② CT, 폐혈관 촬영, 흉부 X-선 검사, 폐 스캔을 시행한다.

(6) 치료 및 간호

① 항응고요법 : Heparin, Warfarin을 투여하여 혈전의 추가적인 생성을 막고 색전이 커지는
것을 방지한다.

② 혈전 용해 용법 : Urokinase, Streptokinase을 투여하여 혈전을 용해시킨다.

TIP 출혈 위험이 있는 대상자에겐 금지한다.

③ 폐색전 절세술 : 내과적 치료에 반응 없는 경우에 시행한나.

④ 하대정맥필터 : 하대정맥을 막음으로 하지에서 만들어진 큰 혈전이 폐로 이동하지 못하도록 한다.

⑤ 항응고제 투여 시 PT, aPTT 결과를 확인한다.

⑥ 출혈 위험성 및 출혈의 징후를 교육하고 이상이 있는 경우 바로 병원에 오도록 안내한다.

⑦ 호흡 증진을 위해 반좌위를 취해주고 산소를 제공한다.

⑧ 심호흡, 기침을 유도한다.

⑨ 색전 예방 스타킹을 착용한다.

⑩ 조이는 옷을 입지 않고 장기간 서있거나 앉아있기를 자제한다.

필기 키워드

ⓠ 폐색전증 예방으로 권장하는 사항은 무엇이 있는가?

ⓐ 보행 및 운동, 색전 예방 스타킹 착용, 널널한 옷, 장시간 앉고 서있기 자제, 와상 환자나 부동환자에겐 수동적 운동을 통한 다리 운동을 권장한다.

(7) 폐색전증 예방

① 보행과 운동 권장 : 수술 후 가능한 조기이상을 권장한다.

② 색전 예방 스타킹을 착용한다.

③ 조이는 옷이나 장시간 앉고 서있기를 자제한다.

④ 와상 환자, 부동환자에겐 수동적 운동(Passive ROM)을 통해 다리운동을 시행하도록 한다.

❹ 결핵(Pulmonary Tuberculosis)

(1) 원인 ✓기출 '20 '19

① Mycobacterium Tuberculosis에 의해 발생하는 비말감염이다.

② 항산성 특징을 가져 AFB(Acid Fast Bacillus)라고도 한다.

(2) 병태생리

결핵균이 폐포까지 도달 → 삼출성 반응 → 불특정 폐렴 유발

(3) 특징

① 감염된 환자의 면역력과 결핵균의 병원성에 따라 5 ~ 15%가 질병에 걸리게 된다.

② 대부분 획득면역의 발달로 자가 치료가 가능하다.

③ 면역반응에 의해 형성된다.

④ 결핵균이 있는 결절 중심으로 바깥 부위는 섬유화된다.

⑤ 결절 중앙이 괴사되어 건락화된다.

⑥ 액화된 건락 물질이 공기로 채워진다.

⑦ 건락화 물질에 칼슘이 침착되어 석회화가 나타난다.

(4) 증상 ✔ 기출 '20 '19 '18 '15

① 기침, 객혈, 체중 감소, 식욕 감퇴, 야간 발한, 호흡곤란, 발열 등의 증상을 보인다.

TIP 객혈과 토혈의 차이점

객혈(Hemoptysis)	토혈(Hematemesis)
• 호흡기관인 기도나 폐로부터의 출혈을 유발한다. • 거품이 있고 선홍색의 혈액, 기침, 가래를 동반한다. • 흉통, 호흡곤란이 발생한다.	• 식도 · 위 · 십이지장의 출혈로 나타난다. • 거품이 없고 암적색의 혈액과 구토를 동반한다. • 음식물이 섞여있는 경우가 많다.

② 피로, 기면, 오심, 불규칙한 월경이 나타난다.

③ 점액성 또는 화농성 객담 및 흉통을 느낀다.

(5) 진단 ✔ 기출 '20 '19 '18 '16 '15

① 객담검사

• 이른 아침에 수집한다.

• AFB 검출 시 결핵으로 진단한다.

TIP 진단 시 3회 객담 검사물이 필요하며, 결핵약 3개월 투약 후 객담배양 음성을 진단할 수 있다.

• PCR(Polymerase Chain Reaction)는 빠른 시간 내에 결핵균을 식별 가능하므로 초기진단이 가능하다.

② 투베르쿨린 반응 검사

• 전박 내측에 피내주사 후 48 ~ 72시간 후 판독한다.

• 경결의 직경 : 0 ~ 4mm(음성), 5 ~ 9mm(의심), 10mm 이상(양성)

• 확진검사는 아니며 양성 반응은 결핵균에 노출된 적이 있음을 의미한다.

③ 흉부 X선 검사

• 결핵균이 활동성인 경우 X선상에서 건락화가 보인다.

• 과거 결핵균에 노출된 흔적으로 폐침윤, 공동을 확인할 수 있다.

(6) **항결핵 약물 요법**

① 약제 간 상승 작용과 내성 발생을 예방하기 위해 복합 약물을 사용한다.

② 1일 1회 복용하여 최대 농도가 한 번에 혈청에 도달하게 한다.

③ 공복 시 투여해야 흡수율이 높다.

(7) 약물 ✓ **기출** '23 '22 '20 '19 '18 '16 '15 '13

① 1차 약제

Isoniazid (INH)	부작용	간염, 말초 신경염을 유발한다.
	주의사항	• 과량 투여 시 Pyridoxine(Vit B6)를 예방적으로 투여한다. • 간에서 대사되므로 투여 전과 후 간기능 검사를 시행한다. • 제산제는 피하고 공복에 복용한다.
Ethambutol (EMB)	부작용	시신경염, 피부발진을 유발한다.
	주의사항	• 투여 전과 후 시력 검사를 시행한다. • 부작용은 약물을 중지하면 없어진다.
Rifampin (RFP)	부작용	피부반응, 위장 장애, 간독성을 유발하며 객담과 분비물이 오렌지색으로 나타난다.
	주의사항	• 환자에게 객담, 소변, 분비물이 오렌지색으로 변할 수 있음을 알려준다. • 스테로이드, 경구용 혈당강하제, 항응고제, 경구용 피임약의 배설을 촉진시켜 효과를 감소시킨다.
Pyrazinamide (PZA)	부작용	간독성, 위장 장애, 고요산혈증을 유발한다.
	주의사항	• 간독성 증상을 관찰한다. • 투여 전과 후 간기능 검사, 요산검사를 시행한다.

② 2차 약제

Streptomycin (SM)	부작용	청신경 손상, 신경 독성, 신장 독성을 유발한다.
	주의사항	투여 전과 후 주기적 청력검사, 신기능 평가를 시행한다. **TIP** 임산부에게는 금지한다.
Capreomycin	부작용	청신경 손상, 신장 독성을 유발한다.
	주의사항	투여 전과 후 주기적 청력검사, 신기능 평가를 시행한다. **TIP** 임산부에게는 금지한다.
Kanamycin	부작용	청각장애, 신장독성을 유발한다.
	주의사항	내성균에 선택적으로 사용한다.

(8) **간호** ✅ **기출** '23 '22 '20 '19 '18 '16 '13

① 2주간 지속적으로 투약 시 전염력이 감소되나 증상이 호전되어도 6개월 이상 약물 복용을 유지해야 한다.

TIP 임의중단을 금지한다.

② 약물은 공복에 흡수율이 높으나 위장 장애 발생 시 식후복용 하도록 한다.

③ 전염예방을 위해 마스크를 착용하고 기침과 재채기 시 입과 코를 가린다.

④ 음압 1인실에 격리한다.

⑤ 고위험 접촉자는 INH와 같은 약물을 예방적으로 투여한다.

⑥ 소아일 경우 BCG 예방접종을 실시한다.

⑦ 결핵균은 햇빛과 열에 파괴되므로 일광 소독을 실시한다.

⑧ 고단백, 고칼로리, 비타민 음식 섭취를 권장한다.

관련 기사

우리나라, OECD 국가 중에 결핵 발병률 가장 높아..

증상이 나타나지 않는 잠복결핵을 포함하여 우리나라는 OECD 국가 중에서 결핵 발병률이 가장 높다. 3월 24일을 결핵 예방의 날로 지정하여 결핵 에방법에 따라 결핵 발생률을 낮추기 위해서 다양한 방안이 발표되고 있다. 질병청에서는 2027년까지 인구 십만 명당 발생률을 약 20명 이내로 줄이는 것으로 목표로 하고 있다. 결핵균이 신체에 들어와 증식하면서 발생하는 감염병으로 주로 호흡기로 감염되고 있으며 폐결핵 발병이 가장 흔하다.

☑ **이렇게 물어볼 수 있어요!**
결핵의 진단검사 및 환자 감염관리 방법에 대해 말해보시오.

CHECK 실제 면접장에서 이렇게 물어본다 ! ●

✴ **2023 | 서울의료원** 결핵약물 ENB에 대해서 말해보시오.

✴ **2022 | 강릉아산** 결핵 확진된 환자와 보호자 교육은 어떻게 할 것인지 말해보시오.

✴ **2020 | 계명대동산** 결핵약 교육 방법과 부작용에 대해 말해보시오.

✴ **2020 | 경상대** **2016 | 서울성모** 활동성 결핵을 판정 받고 격리된 환자에게 어떻게 설명할 것인지 말해보시오.

✴ **2019 | 울산대** 결핵의 병리적 기전에 대해 말해보시오.

✴ **2019 | 동아대** 결핵 약물을 동시 복용하는 이유에 대해 말해보시오.

5 만성 폐쇄성 폐질환(COPD : Chronic Obstructive Pulmonary Disease)

(1) 만성 폐쇄성 폐질환(COPD)

① 폐기종(Emphysema)
- 폐포벽의 탄력성 저하, 폐포의 과신전과 확대, 세기관지 허탈에 의해 호흡곤란을 유발한다.
- 대개 호기가 끝나기 전 흡기를 시작하는데, 이러한 부조화에 의해 호흡곤란이 심해진다.

② 만성기관지염(Chronic bronchitis)
- 감염성 자극원이나 담배연기같은 비감염성 자극물에 지속적으로 노출되어 발병한다.
- 1년에 3개월 이상, 2년간 만성적인 기침, 객담이 있는 경우이다.
- 자극물질은 혈관 확장, 울혈, 점막 부종, 기관지경련을 일으킨다.

(2) 원인

① 흡연 : COPD의 가장 위험한 요인이다.
② 유전 : α_1 - antitrypsin(AAT)결핍증은 폐기종을 유발한다.
③ 대기오염, 감염, 노화도 원인이다.

(3) 증상 ✔기출 '20 '19 '18 '17 '15 '13

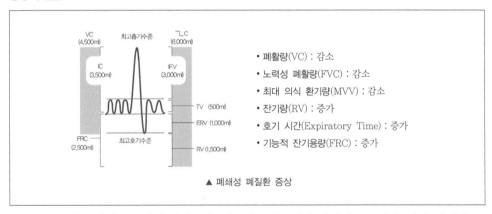

- 폐활량(VC) : 감소
- 노력성 폐활량(FVC) : 감소
- 최대 의식 환기량(MVV) : 감소
- 잔기량(RV) : 증가
- 호기 시간(Expiratory Time) : 증가
- 기능적 잔기용량(FRC) : 증가

▲ 폐쇄성 폐질환 증상

① 자세 : 구부린 자세로 느리게 움직인다. 앉으면 호흡곤란이 완화되므로 기좌호흡을 취한다.
② 호흡 : 호흡은 빠르고 얕으며 호흡 보조근을 사용한다. 기도폐쇄로 진동이 전달되지 않아 진탕음이 나타나고, 타진 시 과공명음이 관찰되고 흉부 청진 시 악설음이 들린다.
③ 호흡곤란으로 인한 저산소혈증이 발생한다
④ 만성 저산소혈증으로 인해 청색증, 보상성 다혈구증을 유발하며, 곤봉형 손톱(Clubbing Fingers) 나타난다.
⑤ 기흉 증상이 나타난다.

(4) 진단검사 ✅ **기출** '20 '19 '17 '16 '14

① 폐기능 검사(PFT : Pulmonary Fuction Test)

목적	• 폐질환 유무를 확인할 수 있다. • 폐질환 환자의 치료 효과를 확인할 수 있다. • 수술 전에 평가할 수 있다. • 폐쇄성 폐질환과 억제성 폐질환을 구분하기 위함이다.
간호	• 검사 전 4 ~ 6시간 동안 기관지 확장제 및 흡연을 금지한다. • 위장 팽만이 폐 확장을 저하시킬 수 있으므로 검사 후 식사하도록 한다. • 검사 전 입안에 의치, 껌 및 이물질 제거하도록 한다. • 검사 후 어지러울 수 있음을 설명하고 증상이 나타나면 충분한 휴식을 취하도록 한다. • 의사소통이 원활하지 못해 협조 불가능할 경우 검사 진행에 어려움을 겪는다.

TIP 폐기능 검사 용어
- 일회 호흡량(TV : Tidal Volume) : 평상시의 1회 호흡량이다.
- 흡기 예비량(IRV : Inspiratory Reserve Volume) : 평상시대로 숨을 들이마신 후, 최대로 더 들이마실 수 있는 공기량이다.
- 호기 예비량(ERV : Exspiratory Reserve Volume) : 평상시대로 숨을 내쉰 후, 최대로 더 내쉴 수 있는 공기량이다.
- 폐활량(VC : Vital Capacity) : 최대로 숨을 들이마신 상태에서 내쉬는 공기의 양이다.
- 잔기량(RV : Residual Volume) : 최대로 숨을 내쉰 후, 폐에 남은 공기량이다.
- 흡기량(IC : Inspiratory Capacity) : 숨을 내쉰 후, 최대한 들이마실 수 있는 공기량이다.
- 기능성 잔기용량(FRC : Functional Residual Capacity) : 평상시대로 숨을 내쉰 후, 남은 공기량이다.
- 총폐용량(TLC : Total Lung Capacity) : IRV + TV + ERV + RV

② 혈액검사
- 객담배양검사 : 원인균 규명 위해 실시한다.
- 동맥혈 가스검사(ABGA)

TIP 동맥혈가스 검사(ABGA)
- 목적 : 산 – 염기 균형, 폐의 가스교환, 폐포 환기를 확인할 수 있다.
- 검사 부위 : 요골동맥, 상완동맥, 대퇴동맥을 검사한다.
- 폐 질환 시 산소량이 감소하거나 이산화탄소량이 증가(pO_2↓, pCO_2^-↑)한다. 만성 호흡성 산증, 보상작용으로 대사성 알칼리증 발생(HCO_3^-↑)한다.
- 정상 범위

구분	내용	구분	내용
pH	7.35 ~ 7.45	HCO_3^-	22 ~ 26
$PaCO_2$	35 ~ 45	Base Excess	±2
PaO_2	80 ~ 100	SaO_2	95 ~ 100

③ 방사선 검사 : 흉부 X선 검사, Chest CT

(5) **치료 및 간호** ✔️ 기출 '20 '18 '17

① 투약 : 기관지 확장제, 항생제, 이뇨제 등을 투약한다.

② 저산소혈증이 있는 경우 저농도 산소를 공급한다.

- 목표 : $PaCO_2$ 50mmHg 이하 PaO_2 60mmHg 이상
- 효과 : 고농도의 산소 제공 시 호흡성 산증이 악화되고 호흡 자극을 저하시킨다.

③ 기관지 경련 예방을 위해서 흡연, 먼지 등 기도 자극을 피한다.

④ 입술 오므리기 호흡(Purse Lip Breathing) : 기도허탈을 예방하고 이산화탄소를 효과적으로 배출하여 호흡 속도, 깊이 및 불안감을 완화시킨다.

⑤ 흉부 물리 요법, 객담 배출 및 수분 섭취 권장한다.

⑥ 고열량, 고단백 식이로 섭취하되 가스형성 음식은 피한다.

⑦ 기흉 시 흉곽 밀봉배액한다.

⑧ 흉곽천자(Thoracentesis) 간호를 한다.

CHECK 실제 면접장에서 이렇게 물어본다 ! ●─

* **2021** | 성남시의료원 COPD 환자에게 제공되는 산소는 무엇인지 말해보시오.
* **2021** | 인하대 COPD 환자에게는 어떤 마스크가 적합하며 그 이유는 무엇인지 말해보시오.
* **2021** | 서울순천향 **2020** | 인제대해운대백병원 COPD 대상자 간호 방법을 말해보시오.
* **2020** | 성균관대 중환자실 근무 중 호흡곤란을 호소하는 COPD 환자에게 간호사가 독자적으로 수행할 수 있는 간호 중재를 말해보시오.
* **2017** | 동아대 COPD의 효과적인 호흡법을 말해보시오.
* **2014** | 아주대 COPD 환자의 수술 후 간호와 환자 입원 시 설명해야 하는 것을 말해보시오.

(6) **흉곽천자(Thoracentesis) 간호** ✅ **기출** '18 '16 '15

① 검사 전
- 국소 마취, 필요시 진정제를 사용한다.
- 앉은 자세로 테이블에 엎드리고 검사 중에는 움직이지 않도록 설명한다.
- 호기 말기에 바늘을 삽입한다.

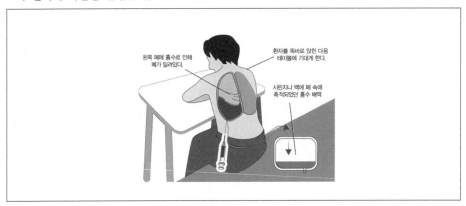

② 검사 후
- 천자 부위가 위로 향하도록 하여 늑막액의 유출을 방지한다.
- 활력징후, 천자 부위를 자주 사정한다.
- 천자 부위는 무균적 폐쇄성 드레싱을 시행한다.
- 폐부종 위험이 있으므로 30분 이내에 늑막액의 배액이 1,500ml가 넘지 않도록 한다.

③ 흉관 배액관 환자 간호
- 정상 파동 : 흡기 시에 물이 올라가고 호기 시에 내려간다. 이때 파동 없음은 관의 막힘이나 꼬임을 의미한다.
- 호기 시에 소량의 기포가 발생하다 과량의 기포가 발생하는 것은 밀봉체계나 환자에게서 공기가 새고 있음을 의미한다.
- 체위 변경 시 배액관이 당겨지거나 꼬이지 않도록 주의한다.
- 배액병은 항상 환자보다 낮게 위치한다.
- 배액량이 시간당 100ml 이상일 경우 보고해야 한다.
- 배액 촉진을 위해 심호흡, 기침을 격려한다.

TIP 의사의 지시 없이 임의로 배액관 잠그는 것을 금지한다.

④ 배액관 제거
- 폐가 완전히 재팽창 된 경우나 배액물이 완전히 배출됨이 확인되면 제거한다.
- 발살바 수기(Valsalva Maneuver)로 숨을 내신 후에 공기 유입을 방지한 후 제거한다.
- 배액관을 제거 후 바셀린 거즈로 덮은 후 멸균거즈를 덧대어 밀폐드레싱을 실시한다.

6 천식(Asthma)

(1) 정의

기도의 만성 염증 질환으로 염증과 기도과민 반응에 의해 간헐적, 가역적으로 기도의 내강을 폐쇄하는 폐쇄성 폐질환이다.

(2) 원인

항원, 비알레르기성 자극 물질, 미생물, 아스피린 등이 원인으로 작용한다.

(3) 병태생리

알레르기원에 노출 → IgE 매개 비만세포 활성화 → 기도 점막에서 염증반응 발생 → 혈관 확장 및 모세혈관 누출 발생 → 분비물과 점액생산 증가 → 부종 발생 → 기도 과민반응으로 인해 기관지 경련 초래 → 기관지 수축

(4) 증상 ✅ 기출 '20 '19 '18

① 천명음(Wheezing)은 보통 호기에 더 많이 나타난다.

② 호흡수가 증가한다.

③ 호흡곤란, 기침, 가슴 답답함, 다량의 객담이 발생한다.

④ 호흡보조근육 사용하여 호흡한다.

⑤ 지속적으로 중증 천식 환자에게선 술통형 가슴(Barrel Chest)이 나타난다.

⑥ 저산소혈증으로 인한 의식 장애가 발생한다.

TIP 정상 흉부와 술통형 흉부의 비교

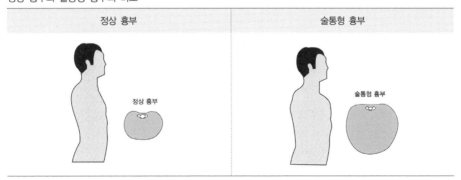

정상 흉부	술통형 흉부

(5) **진단검사**

① 동맥혈 가스검사(ABGA)를 실시한다.

② 폐기능검사(PFT) : 천식에 가장 명확한 검사(RV증가, FVC감소, FEV_1 감소)이다.

③ 흉부 X선 검사와 객담검사를 실시한다.

(6) **치료 및 간호**

① 급성 천식(Acute Asthma)
  - 신속한 중재가 필요하다.
  - 속효성 β_2 - 작용제, 흡입제를 사용한다.
  - 스테로이드제를 구강 투여한다.
  - 비강 캐뉼라를 통해 산소를 공급한다.

  TIP 이산화탄소 정체가 있는 환자는 금지한다.

② 만성 천식(Chronic Asthma)
  - 기관지 경련 유발하는 자극을 제거한다.
  - 온도, 습도를 조절한다.
  - 금연을 권장한다.

  TIP 처방받지 않은 약물을 임의 투약하는 것을 금지한다.

③ 투약 : 기관지확장제(β_2 - 작용제), 콜린성 길항제, 소염제를 투약한다.

CHECK 실제 면접장에서 이렇게 물어본다 !

＊ **2017 | 동아대** 천식 환자 간호에 대해 말해보시오.

＊ **2016 | 서울성모** 천식 환자에게 아미노필린을 투여하는 이유를 말해보시오.

⑦ 무기폐(Atelectasis)

(1) 정의

폐 또는 폐의 일부가 허탈되어 공기가 없거나 줄어든 상태이다.

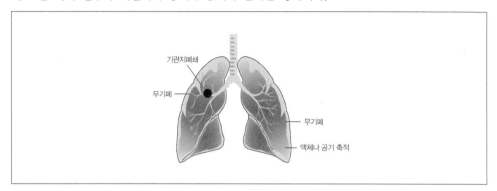

(2) 원인

기관지 폐쇄, 기관지 확장증, 호흡을 억제하는 수술, 전신마취, 갈비뼈의 골절, 억제성 폐질환, 혼수, 폐농양, 폐종양, 과도한 진정제 사용이 원인이 된다.

(3) 증상

호흡곤란, 청색증, 타신지 탁음, 흉곽 움직임이 감소하는 증상을 보인다.

(4) 진단검사

① CT, 흉부 X선 검사를 실시한다.

② 기관지 내시경 : 기관지 폐쇄의 원인을 찾을 수 있다.

(5) 치료 및 간호 ✔기출 '19 '15

① 기관지 분비물을 배출시킨다.

② 호흡기계 감염 시 항생제를 사용한다.

③ 흉관 삽입으로 늑막강의 공기 및 액체를 제거한다.

④ 체위를 변경한다.

⑤ 심호흡과 기침을 유도한다.

⑧ 후두암

(1) 정의

후두에 생기는 악성 종양이다.

(2) 원인

① 흡연, 음주가 가장 위험 요인이다.

② 만성 후두염, 유해 물질 노출, 성대 혹사, 불량한 구강 위생 등이 원인이 된다.

(3) 증상 ✅기출 '14

① 초기에는 무통증이나, 후기에는 산성 음식 섭취 시 통증을 느낀다.

② 지속적인 인후통과 이통을 겪는다.

③ 쉰 목소리는 후두암의 초기 증상이다.

④ 후기에는 연하곤란, 기도폐쇄, 혀 운동이 감소한다.

(4) 진단

① 후두경검사를 실시한다.

② 후두 조영술, CT, MRI, 흉부 방사선 검사를 실시한다.

(5) 치료(외과적 치료) 및 간호 ✅기출 '15 '14

① 후두 절제술(Laryngectomy)을 실시한다.

② 편측 후두 절제술 : 성대 한 부분에 침범된 초기 성문암일 경우 시행한다.

③ 후두 전 절제술 : 후두 전체와 전후 두개 공간 제거, 영구적 기관절개술을 시행한다.

④ 경부 절제술 : 후두암이 목으로 전이 될 위험이 높은 경우 시행한다. 하악선, 목 빗근, 내경 정맥, 부신경, 주위 연조직을 제거한다.

⑤ 부신경 절단으로 수술 후 승모근 위축되어 수술한 쪽 어깨가 처진다. 수술 후 어깨 위축 예 방이 필요하다.

(6) 수술 후 간호 ✔기출 '15 '14

① 흡인을 통해 분비물 제거하고 습기를 제공하여 호흡기 점막 건조 및 폐쇄를 예방한다.

② 기침, 심호흡을 격려하여 폐 합병증을 예방한다.

③ 수술 부위 통증 완화 위해 진통제를 투여한다.

④ 활력징후와 출혈 징후(저혈압, 빈맥)를 사정한다.

⑤ 침상머리를 $30 \sim 45°$ 올려 봉합선 압력 감소 및 안면 부종 감소시키고, 림프 부종으로 인한 두통을 예방한다.

⑥ 근치경부절제술을 받은 경우 머리를 지지하여 봉합부위 긴장을 예방한다.

⑦ 수술 부위 부종, 배액, 발적을 관찰한다.

⑧ 수술 전에 비언어적 의사소통을 교육하고 수술 후에는 언어재활을 실시한다.

⑨ 목소리 상실 및 미각 후각 감소로 인한 환자의 심리적 지지가 필요하다.

✔	약 어	용 어	의 미
✓	ARDS	adult respiratory insufficiency syndrome	성인호흡부전증후군
✓	TLC	total lung capacity	총폐용량
✓	VC	vital capacity	폐활량
✓	IC	inspiratory capacity	흡기용량
✓	RV	Residual Volume	잔기량
✓	FVC	forced vital capacity	노력폐활량
✓	MIP	maximum inspiratory pressure	최대흡기압
✓	MEP	Maximum espiratory pressure	최대호기압
✓	COPD	chronic obstructive lung disease	만성 폐쇄성 폐질환

소화기계

출제빈도 ●●●○○ | 학습결과 ☺☺☹

학습 목표
1. 십이지장궤양과 위궤양의 차이를 비교하여 설명할 수 있다.
2. 염증성 장질환의 종류와 치료를 설명할 수 있다.

기출 키워드 | ☐ 소화성 궤양 ☐ 크론병 ☐ C형 간염 ☐ 간경변

① 위 - 식도 역류 장애(GERD : Gastro Esophageal Reflux Disease)

(1) 정의
위 내용물이 거꾸로 식도로 역류되어 식도 점막이 손상되는 것을 말한다.

(2) 원인
하부 식도 괄약근(LES)이 부적절하게 이완하는 경우 발생한다.

(3) 증상
① 가슴앓이(Heart Burn)
- 오르락 내리락하는 작열감 있는 통증을 느낀다.
- 심하면 목과 턱, 등으로 방사통이 발생한다.
- 대개 식후에 나타나며 제산제나 수분을 섭취하면 완화된다.
② 산의 역류 : 신맛 혹은 쓴 맛이 인두에서 느껴진다.
③ 연하곤란 · 연하통 : 간헐적이나 식사 시작 시에 심해진다.
④ 복강 내 압력을 증가시키는 활동(물건 들어올리기, 힘주기 등)을 하거나 위가 팽만이 되었을 때 증상 심해지고 서있거나 걷게 되면 완화되기도 한다.

> **필기 키워드**
>
> ❶ GERD는 어떻게 진단할 수 있는가?
>
> ❷ 바륨 연하 검사, 식도경, 위액 검사, 식도 내압 측정 등으로 진단할 수 있다.

(4) 진단 ✅기출 '20 '19

바륨 연하 검사, 식도경, 위액 검사, 식도 내압 측정 등으로 진단할 수 있다.

(5) 치료 및 간호 ✅기출 '20 '19

① 생활방식 개선
- 부드러운 식사를 조금씩 자주 섭취한다.
- 지방질 음식, 커피, 담배, 술, 초콜릿, 양파 등 너무 맵고 짠 음식은 피해야 한다.
- 취침 2 ~ 3시간 전 음식물 섭취를 자제하고 취침 시 머리 10 ~ 15cm가량 높인다.
- 복압 상승 행동을 자제한다.

② 내과적 치료
- 제산제 : 통증을 완화시킨다. 매 식전 1시간과 식사 후 2 ~ 3시간에 복용한다.
- 위장 운동 증진제(Metoclopramide) : 위장관의 평활근을 자극, 위 배출 속도를 증가시킨다.
- 위산 분비억제(Omeprazole) : 위산 분비를 억제하고 GERD의 단기 치료제로도 효과가 있다.

TIP 항콜린계 약물, 칼슘차단제는 LES 압력을 감소시켜 위 배출 속도를 연장시키므로 투약을 금지한다.

③ 외과적 치료 : Nissen 추벽 성형술, Angelchick 보철기구 삽입술이 있다.

CHECK 실제 면접장에서 이렇게 물어본다 ! ●
* **2020 | 부산백병원** GERD에 대한 간호중재와 간호진단의 이론적 근거 두 가지 이상을 말해보시오.
* **2019 | 인하대** **2019 | 동아대** GERD 간호에 대해 말해보시오.

---

❷ 소화성 궤양

(1) 정의

식도, 위, 십이지장 점막 전 층에 미란이 생긴 상태이다.

(2) 원인

① Helicobacter Pylori 균에 의한 감염으로 발생한다.
② 비스테로이드성 항염제(NSAIDs)의 장기 복용이 원인이 된다.
③ 위산 과다 분비와 점막방어기전의 손상이 유발된다.
④ 흡연, 알코올, 차, 커피, 콜라, 맵고 짠 자극적인 음식, 스트레스 등이 병을 유발한다.

(3) 십이지장 궤양과 위궤양 비교

구분	십이지장 궤양	위궤양
연령	보통 30 ~ 50세	보통 50세 이상
원인	과도한 산분비	점막 방어기전의 손상
위산 분비	상승	감소 ~ 정상
출혈	흑색변 > 토혈	토혈 > 흑색변
증상	• 공복이나 식후 2 ~ 3시간 사이에 통증 발생한다. • 새벽에 통증으로 잠이 깬다. • 음식, 제산제 섭취 시 통증이 완화된다. • 상복부 중앙 통증을 느낀다.	• 식사 후 통증 및 구토가 유발하며 구토 후 완화된다. • 음식이나 제산제로 통증이 완화되지 않는다. • 좌상복부와 등쪽으로 방사되는 통증을 느낀다.

(4) 진단

① 통증, 복부 팽만 등의 신체검진으로 진단한다.

② 위 내시경 및 생검으로 진단한다.

③ Helicobacter Pylori 검사를 시행한다.

④ 대변 잠혈 검사를 시행한다.

⑤ 요소 호흡검사(Urea Breath Test)를 시행한다.

(5) **상부위장관 내시경 검사(EGD : Esophago Gastro Duodenoscopy) ✔기출** '17 '16 '15

① 내시경을 통해 식도, 위, 십이지장을 눈으로 관찰하고 병변이 있을 경우 조직검사를 시행한다.

② 급성·만성 위장 출혈, 식도 손상, 악성빈혈, 상복부 불편감 등 증상 시 실시한다.

③ 검사 전 간호

• 8시간 이상 금식이 필요하다.

• 의치를 제거한다.

• 내시경 삽입 시 인두 후방 불편감 완화 및 구토 예방을 위해 마취제를 투여한다.

• 필요시 안정제를 투여하여 환자의 불안을 감소시킨다.

• 검사 시 좌측위 혹은 심스위를 취하며 침을 삼키지 않고 흘러내리도록 한다.

④ 검사 후 간호

• 구개 반사가 돌아올 때까지 금식을 유지한다.

• 인후통 시 따뜻한 생리식염수를 함수한다.

⑹ 치료 및 간호

① 우유는 단백질과 칼슘이 산분비를 자극하여 질병을 악화시키므로 제한한다.

② 식사는 조금씩 자주 하며, 지방질 음식, 커피, 담배, 술, 초콜릿, 양파 등 너무 맵고 짠 음식 섭취를 제한한다.

③ 내과적 관리

• 히스타민수용체길항제(Cimetidine, Tagamet) : 위산 분비를 억제한다.

• 위산분비억제제(Omeprazole, Prilosec) : 위산분비를 억제한다.

• 제산제(Aluminum hydroxide, Amphojel) : 증상 완화시킨다.

　예 매 식전 1시간과 식후 2 ~ 3시간에 복용

• 항생제 : H.pylori을 박멸한다.

　예 Amoxicillin tetracycycline, Methronidazole(Fragyl) 등

TIP 아스피린이나 NSAIDs계 약물은 피한다.

④ 외과적 수술

• 미주신경 차단술

• 유문 성형술

• 위절제술 : 위 − 십이지장 연결술(Billroth Ⅰ), 위 − 공장 연결술(Billroth Ⅱ), 전체 위 절제술

⑺ 위절제술 환자 간호 ✔**기출** '21 '20 '17 '16

① 위산이 수술 부위에 접촉해서 발색하는 변연궤양(Marginal Ulcer)에 주의한다.

② 수술 직후에 위 확장이 발생하면 상복부 통증, 빈맥, 저혈압, 포만감, 딸꾹질 등이 발생하나 비위관을 삽입하면 증상이 호전된다.

③ 수술 후 무기폐 예방을 위하여 심호흡과 기침을 격려하고 조기이상을 유도한다.

④ 덤핑 증후군 징후를 관찰한다.

⑤ 비위관 삽입

• 수술 후 연동운동 감소로 인한 가스와 체액 축적을 완화하기 위해 삽입한다.

• 비위관의 개방성을 사정하고 폐쇄 시 오심, 구토, 복부 팽만 등이 발생한다.

• 장음이 회복될 때까지 유지한다.

• 배액양상을 관찰하고 출혈여부를 사정한다.

(8) 덤핑 증후군(급속 이동 증후군) ✔기출 '20 '19

① 발생
- 위절제술 후 생기는 합병증으로, Billroth Ⅱ 수술 환자에게 호발한다.
- 음식물이 정상적인 소화 과정을 경유하지 않고 너무 빨리 공장으로 들어가기 때문에 발생한다.

② 증상
- 고장성 음식물로 인해 세포외액이 장 속으로 급속히 이동하면서 순환 혈액량이 감소한다.
  빈맥, 심계항진, 오심, 설사, 창백, 어지러움, 발한이 발생한다.
- 식사 2 ~ 3시간 후에는 공장 안으로 고탄수화물이 빨리 유입되어 혈당이 급격하게 상승되
  고 인슐린이 과도하게 분비되면서 후에는 저혈당이 일어난다.

③ 간호
- 고단백, 고지방 식이 : 위 내 음식물 정체시간을 증가시키고 신체 회복을 돕는다.
- 저탄수화물 식이 : 혈당의 급격한 상승을 막고 과도한 인슐린 분비를 막아 저혈당을 예방한다.
- 식전 1시간, 식후 2시간까지는 수분 섭취를 제한한다.
- 식사 시에는 횡와위, 반횡와위를 취하고 식사 후에는 앙와위, 좌측위를 취한다.

PART 02 성인간호학

CHECK 실제 면접장에서 이렇게 물어본다 !

✻ 2021 | 순천향대천안 위 절제술 후 환자에게 반드시 해야 하는 교육은 무엇인지 말해보시오.

✻ 2020 | 성균관대삼성창원 위 절제 후 생기는 합병증에 대해 말해보시오.

✻ 2017 | 이화여대 위 내시경 전 금식교육을 말해보시오.

✻ 2017 | 부산백병원 대장내시경 전·후 간호에 대해 말해보시오.

✻ 2017 | 부산백병원 2016 | 인하대 위 내시경 환자의 비위관 삽입 목적을 말해보시오.

✻ 2016 | 삼성서울 위 내시경 전·후 간호에 대해 말해보시오.

✻ 2020 | 충북대 2019 | 양산부산대 Dumping Syndrome 간호중재에 대해 말해보시오.

3 장루 간호

(1) 정상 장루

붉고 약간 올라와 있는 양상이다.

(2) 간호 ✅기출 '20 '19

① 장루 주위는 물로 깨끗이 닦고 완전히 건조시키며 주머니를 부착하기 전 피부보호제를 도포한다.

② 주머니는 인공 항문보다 0.2 ~ 0.3cm 더 크게 자른 후 부착한다.

③ 장루 주머니에 대변이 $\frac{1}{3}$ ~ $\frac{1}{2}$ 정도 차면 비워야 한다.

④ 하루 2 ~ 3L의 수분 섭취를 권장한다.

⑤ 고단백 · 고탄수화물 · 고칼로리 · 저잔유 식이로 균형 잡힌 식이 권장한다.

⑥ 고지방 · 고섬유 식이는 장 운동을 증진시키므로 제한한다.

⑦ 흡연, 빨대 사용, 껌 씹기 등 공기 삼키는 행위는 피한다.

4 염증성 장질환

(1) 크론병(Crohn's Disease) ✅기출 '19 '18 '17

① 정의

• 구강부터 항문까지 어느 부위에서나 불연속적으로 생길 수 있는 만성 · 재발적 질환이다.

• 회장의 말단 부위에 많이 발생한다.

② 원인 : 불분명하나 만성 염증성 자가면역질환이다.

③ 병태생리

• 장의 분리된 분절 내에서 발생한다.

• 림프절이 확대되어 점막밑 조직에 나타나며 Peyer's 반점들이 장점막에서 발견된다.

• 육아종과 균열을 동반하는 표재성 궤양이 나타난다.

④ 증상

• 복통(RLQ), 설사, 영양결핍으로 인해 체중이 감소한다.

• 소장 폐색 시 오심, 구토가 유발된다.

(2) 궤양성 대장염(Ulcerative Colitis) ✅ 기출 '19 '16

① 정의

• 대장 전체에 걸쳐 점막과 점막밑 조직에 나타나는 염증성으로 자가면역질환이다.

• 주로 S자 결장, 하행 결장에 발생한다.

② 원인 : 세균감염, 알레르기 반응, 면역 변화 등이 원인이다.

③ 병태생리 : 화농성 분비물을 분비하고 괴사와 궤양을 일으키는 염증성 침윤이 발생 → 염증성 병변이 치료 → 2차 반응으로 대장이 좁고 두껍고 짧아지면서 반흔과 섬유증 발생

④ 증상 : 직장 출혈, 다량의 설사, 복통(LLQ 부위 산통), 오심, 구토, 식욕부진, 빈혈, 발열 증상이 나타난다.

(3) **치료**

① 지사제 : 증상을 완화시킨다.

② 스테로이드 : 염증에 대한 신체반응 감소 위해 다른 치료법과 함께 사용한다.

③ 면역억제제 : 만성적인 크론병이나 합병증이 있을 때 사용한다.

④ 항생제 : 이차적인 장 염증과 감염 예방 위해 Sulfasalazine(Sarazopytin)을 투약한다.

⑤ 식이관리 : 자극 없고 칼로리 · 단백질 · 무기질 풍부한 음식과 저섬유성 · 저지방 식이를 한다.

TIP 총비경구영양은 크론병에 효과적이다.

⑥ 피부관리 : 설사로 인해 항문 주변 피부 관리가 필요하다.

⑦ 수분 전해질 : 설사로 인한 불균형이 생기지 않게 관리가 필요하다.

TIP 통증 시 마약성 진통제 사용은 피해야 한다.

❺ 간염(Hepatitis)

(1) A형 간염 ✅기출 '19 '18

① 전파 경로 : 감염된 대변이 구강을 통해 전파된다.

② 잠복기 : 2 ~ 6주

③ 진단 : anti - HAV IgM

(2) B형 간염 ✅기출 '18

① 전파 경로 : 성관계 · 출산 전후 · 오염된 체액과 혈액을 통해 전파된다.

② 잠복기 : 4 ~ 24주

③ 진단

- HBsAg(+) : 이전에 감염되었거나 잠복기, 급 · 만성 B형 간염을 의미한다.
- HBeAg(+) : 높은 전염력(급성기)을 가지고 있다는 것을 의미한다.
- HBeAb(+) : 낮은 감염력을 의미한다.
- HBsAg(-), HBsAb(+) : 예방 주사에 의한 면역을 말한다.
- HBsAg(-), HBsAb(-) : 예방접종이 필요한 상태이다.

> **필기 키워드**
>
> ⓠ A형 간염의 잠복기와 간호중재를 말해보시오.
>
> ⓐ 잠복기는 4 ~ 24주이며, 개인위생을 강화하고 1회용 식기를 사용하도록 한다. 접촉할 경우 장갑과 마스크, 가운을 착용해야 하며 A형 간염 환자가 먹다 남은 음식은 모두 버린다.

(3) C형 간염 ✅기출 '18 '17

① 전파 경로 : 혈액을 통해 전파된다.

② 잠복기 : 2 ~ 20주

③ 진단 : anti - HCV Ab

(4) 증상

① 초기 증상은 감기나 다른 위장관 장애 증상과 비슷하다.

② 전신 쇠약, 울렁거림, 구토, 우측 상복부 불편감, 근육통 등을 유발한다.

③ 황달(Jaundice) : 피부, 공막, 심부조직이 황색으로 착색된다.

④ 소양증 및 소변 색이 짙어진다.

(5) 간호중재

① A형 간염

- 개인위생 및 손 세척을 강화한다.
- 1회용 식기를 사용한다.
- 먹다 남은 음식은 버린다.
- 접촉할 경우에는 장갑, 마스크, 가운 등을 착용한다.

② B형 간염

- 오염된 바늘이나 체액 또는 혈액에 접촉된 기구들을 재사용하지 않고 일회용을 사용한다.
- 환자의 체액이나 혈액을 만질 때에는 고글, 장갑, 가운을 착용한다.
- 성행위 시 콘돔을 사용한다.

③ C형 간염 : B형 간염과 유사하다.

C형 간염 치료제와 간암

관련 기사

C형 간염 치료제가 간암 환자에게도 치료 효과가 나타나는 것으로 확인되었다. 건국대병원은 C형 간염 치료제를 투여 받은 192명을 대상으로 간암 환자와 간암이 아닌 환자로 나누어 치료제 효과를 분석하여 발표하였다. 분석 결과 양 군 모두에서 높은 치료 성공률을 나타냈다. 해당 교수는 이번 연구가 간암 환자에게도 적극적인 치료가 행해져야 한다는 점을 시사한다고 밝혔다.

☑ 이렇게 물어볼 수 있어요!
　각 간염의 간호중재를 말해보시오.

CHECK 실제 면접장에서 이렇게 물어본다 ! ●

✳ 2021 | 평촌한림대성심 A형 간염과 B형 간염의 차이에 대해 말해보시오.

✳ 2021 | 평촌한림대성심 B형 간염 자상 시 대처 방법에 대해 말해보시오.

⑥ 간경변(LC : Liver Cirrhosism) ✔️ 기출 '20 '19 '18 '17 '16 '13

(1) 정의

넓게 퍼진 섬유증과 소결절을 특징으로 하는 만성 진행성 질환이다.

(2) 원인

만성 감염, 과도한 음주로 인해 간의 지방성 변화 후 발생한다.

(3) 병태생리

간세포의 광범위한 파괴 및 재생이 반복되면서 간세포들이 섬유증과 소결절로 대치되어 간의 구조적 변화가 발생한다.

(4) 증상

① 초기 증상
- 수년간 증상 없이 진행된다.
- 간의 비대, 맥관의 변화, 촉진 시 단단하고 덩어리(소결절)가 만져진다.

② 진전 단계
- 문맥성 고혈압 : 간경변이 일어나면 간으로 유입되는 혈류를 손상시키거나 변화되므로 발생하게 된다.

TIP 문맥압의 상승은 측부순환을 일으키고 그로 인해 식도 · 제대 · 상직장 정맥 확대와 정맥류 출혈이 나타난다.

- 식도 정맥류 : 문맥압 상승으로 문맥으로 혈류를 보내는 비장과 위장관에 울혈이 발생하여 나타난다.
- 복수 : 문맥압 상승으로 혈장이 울혈된 문맥에서 복강 내로 유출되어 발생한다.

TIP 복부 팽만, 옆구리 팽문, 아래로 돌출된 배꼽 등에 나타난다.

- 간성 뇌병증 : 간에서 암모니아를 요소로 전환하지 못해 암모니아가 축적되어 발생한다.
- 의식 장애, 인격변화, 경직, 기억력 장애, 심한 착란 등이 발생하게 된다.

(5) 간호중재

① 식이 : 고칼로리, 고탄수화물, 고비타민(A · B · C · K) 식이를 권장하며, 복수 및 부종이 있는 경우에는 수분을 제한한다.

② 황달 · 소양증으로 인한 피부 손상과 감염을 예방한다.

③ 소양증이 있을 땐 미지근한 물로 목욕하고 목욕 후에는 로션을 도포한다.

TIP 자극적인 비누 사용을 금지한다.

④ 항히스타민을 복용한다.

⑤ 변 완화제 사용으로 변비 예방하고 흑색 변 및 잠재적 출혈을 관찰한다.

⑥ 지남력 지속적으로 사정하여 간성 뇌병증 징후를 관찰한다.

• 간성 혼수 시 저단백, 저염, 저지방, 고탄수화물 식이를 한다.

• Lactulose 관장 및 투약 : 장 내 산도를 감소시켜 박테리아 성장을 억제하고 암모니아를 요소로 전환시킨다.

• Neomycin 투여는 대장 내 정상 상재균들의 단백질 합성을 억제하여 암모니아 생성을 억제한다.

⑦ 복수

• 하루 1L 이하로 수분을 제한하고 나트륨도 제한한다.

• 복수로 인한 호흡곤란을 관찰한다.

• 필요시 복수천자를 시행한다.

⑧ 식도정맥류 파열 예방 위해 딱딱한 음식을 제한하고 복압 상승을 금지한다.

⑨ Vasopressin 투여하고 식도 정맥류 결찰, S-B tube 삽입 등을 시행한다.

TIP 출혈 예방 위해 코 세게 풀기 금지한다.

CHECK 실제 면접장에서 이렇게 물어본다 !

＊ **2017 | 아주대** 간경변 환자가 갑자기 피를 토할 경우 어떻게 대처할 것인지 말해보시오.

＊ **2018 | 인하대** 간경변 환자 간호에 대해 말해보시오.

＊ **2016 | 인하대** 간경변 환자의 복수가 찼을 경우 어떻게 간호할 것인지 복수가 차는 이유와 함께 말해보시오.

7 담낭염(Cholecystitis) 및 담석증(Cholelithoasis)

(1) 정의
콜레스테롤 과포화와 담즙산염 부족 등으로 인해 담즙 구성성분이 침전되어 담석증이 발생한다.

(2) 증상
① 담관 폐쇄 시 우상복부 통증에서 등, 오른쪽 견갑골 위까지 방사되는 산통이 발생(Biliary colic)한다.
② 발열, 오심, 구토 증상이 나타난다.
③ Murphy's Sign 양성 : 우상복부 갈비뼈 아래 부위를 촉진 시 숨을 들이 마시면 통증을 느끼며 일시적으로 숨을 들이 마시기 어려운 증상이 발생한다.
④ 총담관 폐쇄로 인한 황달 및 소양증이 발생한다.
⑤ 담관 폐쇄로 지용성 비타민(비타민A·D·E·K) 흡수 장애가 발생하여 비타민이 결핍된다. 비타민K 흡수 장애로 혈액응고 장애가 유발한다.

(3) 치료 및 간호
① 담낭 절제술, ERCP를 시행한다.
② 오심, 구토 호소 시 금식을 유지한다.
③ 식이는 저지방 식이로 먹고 가스 생성 유발하는 음식을 자제한다.

> **TIP** 통증 시 Morphine은 오디 괄약근의 경련을 증가시키므로 사용을 금지한다.

(4) 담낭 절제술(Cholecystectomy) 수술 후 간호 ✅기출 '16 '13
① 호흡기 합병증 예방 위해 심호흡, 기침을 격려한다.
② T−tube 관리 : 총담관에 삽입하는 튜브로 담즙 배출을 원활하게 하고 총담관의 부종을 완화시킨다.
③ 간호
• 배액 양상 및 배액량 관찰

> **TIP** 첫 24시간 동안에는 300 ~ 500cc이어야 하며 배액량이 1,000cc 이상일 때는 보고해야 한다. 혈액성 배액에서 녹갈색 담즙으로 점차 변화한다.

• 배액관은 항상 몸 아래로 두어 자연스럽게 배출되도록 한다.
• 피부손상을 관찰한다.
• 식사 1 ~ 2시간 전에 잠가두고 식후 1 ~ 2시간 후에 풀어서 담즙이 간에서 십이지장으로 흘러 소화시킬 수 있게 도와준다.

⑧ 췌장염(Pancreatitis)

(1) 급성 췌장염 ✔기출 '15 '14

① 원인 : 알코올 남용, 담석증, 췌장 손상 등으로 발병한다.

② 증상

- 지속적이고 찌르는 듯한 상복부 압통이 있다. 바로 누우면 더 심해지고 상체를 구부리거나 무릎을 굽히면 완화된다.
- 오심, 구토, 미열, 빈맥의 증상이 나타난다.
- 냄새가 심하고 거품이 있는 지방변을 배설한다.
- 복강 내 출혈로 인한 증상이 확인된다.

TIP 징후
- Turner's Sign : 옆구리가 푸르게 변한다.
- Cullen's Sign : 배꼽 주위가 푸르게 변한다.

③ 간호중재

- 제산제, 항콜린제, 히스타민 길항제를 투여한다.
- 췌장액 분비 자극을 억제하기 위해 비위관을 흡인한다.
- 췌장 효소 분비 방지를 위해 금식을 유지한다.
- 인슐린 분비 감소를 위해 고혈당을 관찰한다.
- 항생제를 투여한다.

> **필기 키워드**
>
> **Q** 만성 췌장염의 약물 치료 목표는?
> **A** 통증과 흡수 부전을 치료하는 것을 목표로 하며 통증에 대한 약물로는 췌장 효소제제와 비마약성 진통제를 투여한다.

TIP 통증 시 Morphine을 사용하면 평활근을 수축시켜 췌장이 파열되므로 금지한다.

(2) 만성 췌장염 ✔기출 '16

① 원인 : 알코올 의존증, 췌장의 재발되는 염증으로 인해 정상조직이 파괴되고 섬유화된다.

② 증상

- 허리로 방사되는 지속적인 상복부 통증을 유발한다.
- 오심, 구토, 미열, 빈맥의 증상이 나타난다.
- 고혈당, 고지혈증을 유발한다.
- 복부 팽만, 지방변 등이 나타난다.

③ 간호중재

- 기름진 음식과 고지방 음식 제외한 음식을 조금씩 자주 섭취하고 과식을 자제한다.
- 제산제, 췌장효소를 투여한다.

⑨ 충수염(Appendictis)

(1) 정의

맹장 끝 충수돌기의 급성 염증으로 10 ~ 20대 젊은 층에게 호발한다.

(2) 원인

① 충수돌기 개구부의 폐쇄 : 성인의 경우 대변이 굳어 생긴 분석(Fecalith)에 의해 폐쇄된다.
② 충수의 꼬임이 원인이 된다.

(3) 증상 ✅기출 '16 '15

① 상복부 ~ 배꼽 주위의 통증으로 시작된다.
② 맥버니점(McBurney's Point) : 배꼽과 우측 전상장골극을 연결하는 선상으로 외측 1/3 지점 (RLQ 1/3)의 반동성 압통이다.
③ 통증 지속 시 구토, 오심을 유발한다.
④ 발열 증상이 나타난다.
⑤ 충수염의 지속 시 복막염으로 발전한다.

(4) 진단검사

① 맥버니점(McBurney's Point) : 반동성 압통이 느껴진다.
② 로브싱 징후(Rovsing's Sign) : 좌하복부(맥버니 점의 대칭 부위)에 압력을 가하면 우하복부에 통증이 생긴다.
③ 혈액검사 : WBC 수치가 증가한다.
④ 복부 CT를 실시한다.

(5) 치료 및 간호 ✅기출 '15

① 외과적 치료 : 충수절제술을 실시한다.
② 감염 예방 위해 항생제 투여 및 외과적 배액을 적용한다.
③ 수술 후 조기이상을 권장한다.
④ 충분한 수액 보충을 진행한다.

> **TIP** 진단이 확정될 때까지는 진통제 투여와 관장 및 복부에 열요법 적용을 금지한다.

관련 기사

췌장염 치료제가 코로나19치료제로 탈바꿈

종근당 '나파벨탄'이 코로나19 치료제로 허가 · 심사에 착수한다고 식품의약품안전처가 발표하였다. 종근당은 코로나19 글로벌 임상시험 프로젝트 연구에 참여하여 대규모 3상 임상시험을 진행한 바 있다. 해당 데이터를 기반으로 식약처에 변경허가를 신청하였으며 이를 받아들여 심사에 착수하였다.

☑ 이렇게 물어볼 수 있어요!

급성 췌장염일 경우 금식을 유지해야 하는 이유에 대해 말해보시오.

ⓒ 관련 의학용어 알고가기

✔	약 어	용 어	의 미
✓	GERD	gastroesophageal reflux disease	위－식도 역류 장애
✓	EGD	esophagogastroduodenoscopy	상부위장관 내시경 검사
✓	LC	liver cirrhosis	간경변
✓	BMI	body mass index	체질량지수
✓	CVN	central venous nutrition	중심 정맥영양
✓	UC	ulcerative colitis	궤양성 장질환
✓		McBurney's Point	맥버니점
✓		Caecum	맹장

학습
목표
1. 혈액계 구조와 기능을 설명할 수 있다.
2. 백혈병과 전신성 홍반루푸스의 간호중재에 대해 설명할 수 있다.

기출 키워드 | □ 조혈기능 □ 백혈병 □ 전신성 홍반루푸스

1 혈액계 구조와 기능

(1) 혈장(Plasma)

① 구성 : 전체 혈액의 55% 차지한다.

② 역할 : 체액량을 유지하면서 단백질, 전해질 등을 운반한다.

(2) 혈소판(Platelet)

① 정상 수치 : $130 \sim 400(10^3 \mu\ell)$

② 역할 : 혈액응고를 돕는다.

③ 기능 : 손상된 혈관부위에 부착하고 응집하여 혈관벽의 손상된 틈을 막아 출혈을 중단시킨다.

④ 생성 : 골수의 간세포에서 생성된다.

(3) 백혈구(WBC : White Blood Cell) ✔기출 '21

① 정상 수치 : $4,000 \sim 10,000 \mu\ell$

② 역할 : 미생물이나 해로운 물질이 인체에 침입하였을 때 식균작용을 하며 신체를 방어한다.

③ 종류
• 과립구 : 호중구, 호산구, 호염기구
• 무과립구 : 림프구, 단핵구

④ 생성
• 골수 : 호중구, 호산구, 호염기구, 단핵구
• 림프절, 흉선, 비장 : 림프구

(4) **적혈구(RBC : Red Blood Cell)**

① 정상 수치

- 남성 : 4.2 ~ 6.3
- 여성 : 4.0 ~ 5.4

② 역할 : 산소와 이산화탄소를 운반하고 산 - 염기 균형을 유지한다.

③ 구성 : 혈색소(Hemoglobin)가 대부분을 차지한다.

④ 생성

- 태아 : 간, 비장에 생성된다.
- 성인 : 골수(흉골 · 척추 · 장골 · 늑골 · 두개골 · 골반 **뼈** 등)에 생성된다.

⑤ 기능

구분	설명
조혈 기능	• 세포의 산소요구와 대사활동에 의해 조절된다. • 신장에서 생성되는 적혈구 형성인자가 골수를 자극하여 적혈구 생성을 증가시킨다. • 망상 적혈구는 미성숙 적혈구로서 혈액 속을 순환하면서 성숙 적혈구로 자라게 된다. 골수에서 조혈작용이 촉진될 때 증가하기 때문에 골수의 적혈구 생성능력을 평가하는 지표로 사용한다.
용혈 기능	• 오래된 적혈구들은 골수 · 간 · 비장 등에서 파괴되어 순환에서 제거된다. • 글로빈(Globin) + 햄(Heme)으로 분리된다. • 햄(Heme)성분 중 철분은 골수로 돌아가 다시 새로운 혈색소 생성에 사용되고 글로빈(Globin)은 아미노산으로 되어 재활용된다.

CHECK 실제 면접장에서 이렇게 물어본다 !

＊ **2021** | **가천대길병원** 백혈구 수치가 저하된 환자에게 어떻게 해야 하는지 말해보시오.

② 백혈병(Leukemia)

(1) 정의

혈액과 골수, 비장, 림프계 조직의 악성조직으로 미분화된 백혈병 세포들의 비정상적인 과잉 증식하는 것을 말한다.

(2) 급성 백혈병 ✅기출 '19 '18

① 급성 골수성 백혈병(AML : Acute Myelogenous Leukemia)

- 특징 : 과립구의 전구세포인 골수아구의 무한 증식이 특징이다.
- 연령 : 보통 청소년기나 55세 이후에 발병하며 성인에서 발생되는 급성 백혈병의 85%를 차지한다.

TIP 증상

- 피로, 두통, 숨이 찬 느낌, 창백한 피부, 뼈 통증을 느낀다.
- 골수 부전으로 심각한 감염, 출혈경향이 나타난다.
- 적혈구 · 혈소판이 감소한다.
- 골수 검사 시 골수아구의 현저한 증가가 보인다.

② 급성 림프성 백혈병(ALL : Acute Lymphocytic Leukemia)

- 특징 : 미성숙 림프구 증식이 특징이다.
- 연령 : 어린이 백혈병 중 가장 흔하며 2 ~ 9세 어린이에게 호발한다.

TIP 증상

- 발열, 창백, 출혈, 피로, 허약감을 유발한다.
- 중추신경계 침범으로 신경계 증상을 느낀다.
- 간비대, 비장비대, 림프절 비대증상이 나타난다.

> **필기 키워드**
>
> ⓠ 만성 백혈병과 급성 백혈병의 차이점은?
>
> ⓐ 급성 백혈병의 경우 분열 능력이 높아 진행이 빠르지만 만성 백혈병의 경우 느리게 진행된다. 특히 만성은 초기에 특별한 증상이 나타나지 않다가 말기에 전신 권태감이나 미열, 림프절 종대 등의 증상이 나타난다.

(3) **만성 백혈병** ✔️기출 '20 '18

① 만성 골수성 백혈병(CML : Chronic Myelogenous Leukemia)
- 특징 : 성숙 형태의 악성과립구 증식이 특징이다.
- 연령 : 보통 25 ~ 60세 사이에서 발병하며 40대 중반이 발병률이 가장 높다.

TIP 증상
- 무증상(20%), 점진적인 발생과 느린 증상이 특징이다.
- 피로, 비종대, 간종대 증상이 나타난다.
- 골수검사 시 필라델피아염색체 관찰된다.

② 만성 림프성 백혈병(CLL : Chronic Lymphocytic Leukemia)
- 특징 : 성숙형태의 비기능적 림프구 증식(B Cell)이 특징이다.
- 연령 : 고령층에서 발생한다.

TIP 증상
- 비교적 경미한 증상이 나타난다.
- 피로, 식욕부진, 체중이 감소한다.
- 완화와 악화가 반복된다.
- 적혈구와 혈소판이 감소한다.

(4) **증상과 징후** ✔️기출 '20 '19 '18

① 감염 : 발열, 궤양, 폐렴, 패혈증 증상이 나타난다.
② 빈혈 : 창백한 피부, 피로, 숨참을 느낀다.
③ 증가된 백혈구가 간, 비장, 림프절, 골수에 축적되면서 비장과 간비대, 림프선증, 골수세포 증식증이 나타난다.
④ 백혈병 세포의 과도 생성 및 파괴로 다량의 영양소가 쓰이게 되며 노폐물을 배설시키므로 신진대사가 항진되어 허약, 창백, 체중 감소가 나타난다.
⑤ 항암약물로 백혈구가 파괴되면서 다량의 요산이 혈중으로 방출되어 고요산혈증이 나타난다. 신통증, 신결석, 통풍, 요독증을 동반한 신부전 등을 유발한다.
⑥ 조혈기능 장애로 혈소판 생성이 감소되면서 출혈 위험성이 증가한다. 잇몸 출혈, 코피, 반상 출혈, 점상출혈 등을 유발한다.
⑦ 백혈병 세포가 중추신경계에 침범되면서 중추신경계 증상을 동반한다. 뇌압 상승, 두통, 지남력 상실, 뇌막염, 유두부종 등을 유발한다.

(5) 간호 ✔️기출 '21

① 음식은 무균식으로 섭취하고 생과일이나 야채는 피하는 게 좋다.

② 방문객을 제한하고 필요시 역격리를 시행한다.

③ 감염이 의심되면 광범위 항생제와 항진균제를 투여한다.

④ 출혈 위험성이 높아 출혈 예방 및 출혈 징후를 관찰한다.

⑤ 부드러운 칫솔을 사용하도록 하고 좌약을 삽입한다.

⑥ 직장 체온 측정 등 침습적 처치를 제한한다.

⑦ 아스피린은 항혈소판 작용이 있으므로 사용하지 않는다.

⑧ 필요시 수혈한다.

⑨ 통증 시 진통제 사용하고 발열 시 수분 섭취를 권장하며 해열제를 투여한다.

⑩ 충분한 휴식과 수면 취하도록 한다.

⑪ 항암화학 요법을 실시한다.

⑫ 조혈모세포 이식을 실시한다.

📋 **T세포 치료제, 킴리아**

관련 기사

킴리아는 노바티스가 개발하여 2017년 미국식품의약국의 승인을 받은 키메라 항원 수용제 T세포 치료제이다. 환자의 면역세포를 채취하여 제조하는 맞춤형 항암제로, 말기 혈액암 환자에게 1회 투여하여 완치에 가까운 효과를 발휘해, 기적의 항암제라는 수식어가 붙었다. 2021년 국내에서 킴리아가 승인됨에 따라 환자들의 기대감이 커졌지만 고가의약품이라는 것과 신약이 등재되기까지 시간이 제법 소요된다는 점은 숙제로 남았다.

☑ **이렇게 물어볼 수 있어요!**
　배혈병 환자가 감염이 의심될 경우 투여해야 하는 약물을 말해보시오.

---

③ 전신성 홍반루푸스(SLE : Systemic Lupus Erythematosus)

(1) 정의

면역체계 이상으로 피부, 신장, 폐, 신경, 근육, 심장, 관절 등을 공격하는 만성 자가면역질환이다.

(2) 특징

① 악화기와 완화기가 반복된다.

② 연령 : 20 ~ 40세 젊은 가임 여성에게 호발한다. 호발 비율은 1(남) : 10(여)이다.

(3) 원인

현재까지 정확한 원인은 밝혀지지 않았으나 유전적, 환경적 요인이 복합적으로 작용하여 생기는 것으로 추정한다.

(4) 증상 ✔ 기출 '23

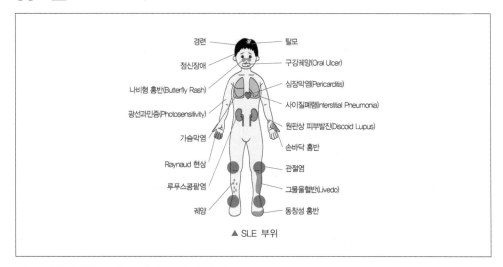

▲ SLE 부위

① 관절염이 발생하며 관절 통증을 느낀다.

② 피로감, 권태감, 발열, 체중 감소 증상이 나타난다.

③ 나비형 홍반 : SLE 환자의 70 ~ 90%가 나타나는 발진으로 콧등을 중심으로 양쪽 뺨에 대칭적으로 나타나는 나비모양의 부종성 홍반이다.

④ 원반 모양 루푸스 : 얼굴, 목, 팔,다리 등에 생기는 발진으로 원형 ~ 타원형의 경계가 명료하며 위축이나 각화를 동반한다.

⑤ 혈관염이 발생한다.

⑥ 광선과민증 : 자외선으로부터 관절염, 피부발진을 유발한다.

⑦ 구강 내 궤양이 발생한다.

⑧ Raynaud 증후군 : 추위나 스트레스에 노출되었을 때 발생하는 사지말단의 백색변화가 나타난다.

⑨ 범혈구 감소, 백혈구와 혈소판이 감소한다.

⑩ 심내막염, 심근염, 흉막염 등이 발생한다.

(5) 치료 및 간호중재 ✅ 기출 '22

① Aspirin, Steroid, 항악성 종양제 등을 투여한다.

② 통증 시 열 · 냉요법을 적용한다.

③ 외출 시 자외선 차단제 · 긴소매 옷 · 챙이 넓은 모자를 사용한다.

④ 구강궤양이 있는 경우 부드러운 음식을 섭취하도록 하고 구강 간호를 시행한다.

⑤ 추위에 노출되지 않도록 하며 레이노 증후군이 있는 경우에는 장갑 착용을 권장한다.

⑥ 적절한 운동(관절운동 범위 · 근육강화운동 등)을 권장한다.

⑦ 신체적, 정서적 스트레스를 방지한다.

관련
기사

희귀질환자 중 전신 홍반루푸스 질환자가 가장 많아..

질병관리청에서 공표한 통계 연보에서 2020년에 등록된 희귀질환자 중에서 전신 홍반루푸스가 가장 많은 것으로 조사되었다. 면역시스템에 문제가 생기면서 발병하는 것으로 유전, 바이러스 감염, 약물 등의 다양한 원인이 있으며 여성에게 15배 이상 높게 호발된다.

☑ 이렇게 물어볼 수 있어요!
홍반성 루푸스의 원인과 특징에 대해 말해보시오.

✔	약 어	용 어	의 미
✓	FDP	fibrin degradation product	섬유소분해산물
✓	CBC	Complete blood count	전혈구검사
✓	MCV	mean corpuscular volume	평균적혈구용적
✓	WBC	leucocyte	백혈구
✓	AML	acute myeloid leukemia	급성 골수성 백혈병
✓	ALL	acute lymphoblastic leukemia	급성 림프성 백혈병
✓	CML	chronic myeloid leukemia	만성 골수성 백혈병
✓	CLL	chronic lymphocytic leukemia	만성 림프성 백혈병
✓	SLE	Systemic lupus erythematosus	전신성 홍반루푸스

PART 02 성인간호학

학습
목표

1. 뇌하수체 후엽장애에 대해 설명할 수 있다.
2. 갑상샘 기능항진증 및 기능 저하에 대해 설명할 수 있다.
3. 당뇨의 증상과 간호중재에 대해 설명할 수 있다.

기출 키워드 | □ 요붕증 □ 갑상샘 □ 당뇨 □ 인슐린 투여

1 뇌하수체 후엽장애

(1) 요붕증(DI : Diabetes Insipidus) ✔기출 '19 '18

① 원인 : 항이뇨 호르몬(ADH)이 부족하여 발병한다.

② 병태생리 : ADH의 결핍 → 신장 세뇨관의 수분 재흡수 감소 → 과량의 희석된 소변 배출

③ 증상 : 다뇨(하루 8 ~ 12L), 야뇨, 지속적인 갈증, 혼수, 고열, 저혈압, 빈맥, 피부긴장도 감소 등

④ 치료 및 간호

- 약물 투여 : DDAVP(desmopressin), Vasopressin tannate를 투여한다.
- 탈수 징후 관찰 : 저혈압, 빈맥, 두통, 갈증 등의 증상을 관찰한다.
- 적절한 수분공급을 시행한다.
- 요비중 및 I/O를 측정한다.

> **필기 키워드**
>
> **Q** 요붕증의 원인은?
> **A** 항이뇨 호르몬의 부족으로 발병한다.

(2) 항이뇨 호르몬 부적절 증후군(SIADH : Syndrome of Inappropriate Anti – Diuretic Hormone) ✔기출 '18

① 원인 : 항이뇨 호르몬(ADH)이 과다분비될 경우 발병한다.

② 병태생리 : ADH 과다분비 → 신장에서의 수분 정체 → 수분중독증

③ 증상 : 오심, 구토, 식욕부진, 기면, 두통, 혼수, 경련, 부종과 혈압 상승 없는 수분 축적, 저나트륨혈증

④ 치료 및 간호

- 수분 섭취를 제한한다.
- 저나트륨혈증을 교정한다.
- 고장성수액을 투여한다.
- 신경학적 상태 변화를 확인한다.

❷ 갑상샘 기능항진증 ✔️기출 '20 '17 '14

(1) 정의
갑상샘 호르몬의 과량분비로 말초 조직의 대사가 항진되어 생리적, 생화학적 장애를 초래한다.

(2) 대표적 질환
그레이브스병(Grave's Disease)이 대표적이다.

(3) 원인
① 갑상샘 호르몬 분비조절 능력이 부족할 경우 발병한다.
② 자가면역성 질환이 기능 이상을 유발한다.

(4) 증상
① 갑상샘종, 안구돌출을 동반한다.
② 복시, 흐릿한 시야, 눈의 피로감을 느낀다.
③ 피로감, 전신 권태감, 체중이 감소하며 축축한 피부, 심계항진, 빈맥, 식욕증진, 다뇨, 무월
   경, 신경과민 등의 증상이 나타난다.

(5) 진단
① TSH가 감소, T_3와 T_4는 상승한다.
② 혈청 내 콜레스테롤이 감소한다.

(6) 치료 및 간호
① 약물
 • 항갑상샘제(PTU : Propylthiouracil) : 갑상샘 호르몬 합성을 방해한다. 많은 용량으로 투여
   를 시작했다가 점차 용량을 감소시켜 갑상샘 기능을 유지시킨다.

 TIP 무과립구증, 치아 착색, 발진, 두드러기 등을 유발한다.

 • 교감신경차단제 : 빈맥, 떨림, 신경과민 등의 증상 조절을 위해 사용한다.
 • 요오드 투여(Lugal용액, SSKI) : 갑상샘 수술 전 출혈 예방 및 갑상샘 수술 후 갑상샘 위기
   예방 위해 사용한다.
② 방사선 요오드 요법
 • 수술 하지 않고 갑상샘 조직을 파괴가능하다.

 TIP 갑상샘 기능저하증 발생 위험이 높다.

 • 치료 후에는 방사선 동위원소가 배설되기 때문에 독방을 사용한다.

- 식기나 음식 등 타인과 같이 이용하거나 섭취를 금지한다.
- 방사선 치료 후 6개월 이상 피임한다.
- 모유 수유는 금지한다.
③ 수술 : 갑상샘 절제술(Thyroidectomy)을 시행한다.
④ 안구돌출 환자에게 검은 안경이나 안대 제공하여 안구 불편감을 감소시키고 각막 감염을 예방한다.
⑤ 신진대사가 증가하기 때문에 영양이 풍부하고 균형된 음식(고단백, 고탄수화물, 비타민 및 무기질) 섭취를 권장한다.
⑥ 매일 체중을 측정하고 2kg 이상 감량되지 않는지 관찰한다.
⑦ 육체적, 정신적으로 안정할 수 있는 자극 없는 환경을 제공하고 방은 시원하게 유지한다.

③ 갑상샘 위기 ✔기출 '14

(1) 정의
갑상샘 기능이 극도로 항진되어 신진대사 항진이 증가, 심하면 섬망, 혼수, 사망이 나타나는 응급상태이다.

(2) 원인
갑상샘 기능항진의 부적절한 치료, 수술, 감염, 스트레스 등이 원인이다.

(3) 증상
고열과 발한, 심한 빈맥, 흥분, 복통, 구토, 의식 상실, 혼수 등의 증상이 나타난다.

(4) 치료 및 간호
① PTU, 덱사메타손을 투여한다.
② Acetaminophen을 투여한다.
③ 적절한 환기를 유지한다.
④ V/S 및 I/O를 관찰한다.

TIP 정맥 내로 수액을 공급하여 탈수를 완화시킨다.

④ 갑상샘 기능 저하 ✅기출 '20 '16 '14

(1) 정의

갑상샘 호르몬 분비 저하로 말초조직 대사의 저하로 신체대사율이 느려지는 상태이다.

(2) 대표적 질환

점액수종(Myxedema)이 대표적이다.

(3) 원인

① 갑상샘의 병리적 변화가 요인이다.

② 뇌하수체 기능 장애, 시상하부 장애가 유발한다.

(4) 증상

① 추위에 취약하며 차갑고 창백한 피부, 혀 비대, 말초부종, 잠긴 목소리가 특징이다.

② 권태, 기면, 허약감, 식욕감소, 체중증가, 서맥, 무배란, 발기부전 등의 증상이 나타난다.

(5) 진단검사

① TSH 상승, T_3와 T_4는 감소한다.

② 혈청 내 콜레스테롤이 증가한다.

(6) 치료 및 간호

① 약물 : Levothyroxine(Synthyroid)를 매일 같은 시간에 투여하여 공복에 섭취한다.

TIP 불안, 협심증, 심근경색, 빈맥 등을 유발할 수 있다.

② 신진대사 감소로 인한 변비 예방 위해 수분 섭취 및 고섬유 식이를 권장한다.

③ 추위에 취약하므로 따뜻한 실내 온도를 유지한다.

④ 저칼로리, 고단백 식이를 권장한다.

CHECK 실제 면접장에서 이렇게 물어본다 !

* 2017 | 울산대 갑상선 절제 수술 후 환자 곁에 갖춰야 할 물품을 말해보시오.

* 2015 | 성균관대삼성창원 갑상선 절제술 환자 합병증 및 간호를 말해보시오.

⑤ 쿠싱 증후군(Cushing's Syndrome)

(1) 정의
뇌하수체 전엽에서 분비되는 ACTH 과잉 생성으로 인해 발생한다.

(2) 원인
① 부신종양, 뇌하수체 종양 및 뇌하수체 호르몬 과다분비가 될 경우 발병한다.
② 부신피질 증식 및 코티손의 장기투여가 요인으로 작용한다.

(3) 증상

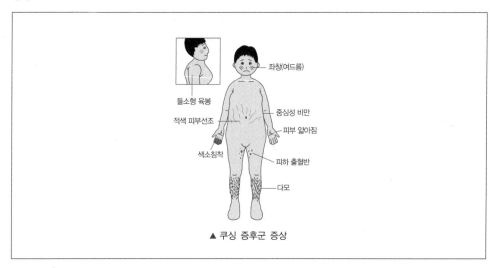

▲ 쿠싱 증후군 증상

① 단백질 이화작용으로 인한 허약감, 근육소모, 가는 팔과 다리, 골다공증을 유발한다.
② 피부가 얇고 약해지며 반상 출혈, 적색의 피부선, 상처 치유가 지연된다.
③ 저포타슘혈증으로 인한 부정맥, 신장애를 유발한다.
④ 비정상적 지방 침착으로 인한 만월형 얼굴(Moon Face), 견갑부 지방축적(들소목), 몸통 비만, 체중 증가 증상을 보인다.
⑤ 수분 정체로 인한 부종, 고혈압이 동반된다.
⑥ 안드로겐 생성 증가로 여성의 남성화가 진행된다.
⑦ 감염에 취약해진다.
⑧ 기억력 상실, 집중력 감소, 황홀감·우울감의 증상을 보인다.

(4) **진단검사**

① 혈청과 소변의 코티솔 변화 : 정상인의 혈청 코티솔 분비는 아침에 높고 오후에 점차 감소되지만 쿠싱 증후군 환자의 경우 아침에 상승된 코티솔 수치가 오후에 하강하지 않는다.

② 혈청 ACTH검사를 시행한다.

③ 저용량 Dexamethasone 억압검사를 시행한다.

④ 부신 CT 촬영을 시행한다.

(5) **치료 및 간호**

① 약물 요법
   - 코티솔 생성 억제 : Mitotane(Lysodren)을 투여한다.
   - 코티솔 합성 차단 : Ketoconazole을 투여한다.

② 수술 : 뇌하수체 종양일 경우에 뇌하수체·부신절제술을 시행한다.

③ 사람이 많은 곳은 피하고 개인위생을 준수한다.

④ 근육 소실, 골다공증 최소화 위해 단백질·비타민D를 섭취한다.

⑤ 근육 및 뼈의 허약으로 인해 골절이 생기기 쉬우므로 안전한 환경을 마련해야 한다.

⑥ 활력징후 측정으로 고혈압 징후를 사정한다.

⑦ 두통·흐릿한 시야·흥분·호흡곤란을 사정한다.

⑧ 저지방·저탄수화물·저염·저열량 고단백 식이를 권장한다.

⑨ 적절한 활동 및 휴식이 필요하다.

⑩ 변화된 신체에 대한 불안을 표현할 수 있도록 지지한다.

⑪ 급작스런 기분 변화 및 정서적 불안정에 대처한다.

CHECK 실제 면접장에서 이렇게 물어본다 !
* 예상질문 쿠싱 증후군 환자에게 투여할 수 있는 약물과 효과에 대해 말해보시오.
* 예상질문 쿠싱 증후군 환자의 코티솔 변화에 대해 말해보시오.

6 당뇨(DM : Diabetes Mellitus)

(1) 정의

인슐린의 분비부족이나 정상적인 기능이 이루어지지 않아 일어나는 내분비계 질환이다.

필기 키워드

❶ 당뇨병성 케톤산증이 발병할 수 있는 당뇨병은?

Ⓐ 제1형 당뇨병

(2) 종류 ✅기출 '21

① 제1형 당뇨병(DDDM : Insulin Dependent Diabetes Mellitus)
- 인슐린 의존성 당뇨병이다.
- 원인 : 췌장 랑게르한스섬의 β 세포 파괴로 인한 절대적인 인슐린 결핍이다.
- 발현 : 보통 소아나 청소년기에 발현되고 증상의 발현이 빠르다.
- 치료 : 인슐린을 보충하기 위해서는 인슐린 주사가 필요하다.
- 합병증 : 적절한 치료를 하지 않은 경우 당뇨병성 케톤산증이 발생한다.

TIP 당뇨병성 케톤산증(DKA : Diabetic Ketoacidosis)

당뇨병 환자에게 발생하는 급성 대사성 합병증이다. 인슐린에 대한 저항이나 인슐린의 부족으로 인해 세포가 포도당을 공급받지 못하면 에너지원으로 지방과 단백질을 사용한다. 그로 인해 케톤체를 형성하고 쿠스말 호흡, 과일향·아세톤 냄새의 호흡, 다량의 소변배출로 인한 탈수와 전해질 불균형을 이루는 케톤산증이 유발된다.

② 제2형 당뇨병(NIDDM : Non Insulin Dependent Diabetes Mellitus)
- 비인슐린 의존성 당뇨병으로 당뇨 환자의 90%가 해당된다.
- 인슐린을 분비하긴 하나 이를 활용할 수 없다.
- 원인 : 인슐린 저항성 증가와 인슐린의 분비 저하로 발생하며 상대적으로 인슐린이 부족한 상태이다.
- 발현 : 35세 이상 성인에게서 주로 나타나며 과체중과 비만에게 점진적으로 발병한다.
- 치료 : 혈당 조절을 위해 경구용 혈당강하제나 인슐린 주사가 필요하다.

(3) 증상 ✅기출 '20 '19 '18 '17 '16 '15 '13

① 다뇨·다음·다갈 증상이 나타난다.
② 체중이 감소한다.
③ 상처 치유가 지연된다.
④ 시야가 흐려진다.

(4) 진단검사 ✅기출 '21 '20 '19 '18 '15

① 공복 혈당(FBS : Fasting Blood Sugar)

구분	설명
진단기준	≥ 126mg/dl
검사	8시간 이상 수분을 제외한 음식을 섭취하지 않은 상태에서 검사한다.

② 당화혈색소(HbA1c : Glycosylated hemoglobin)

구분	설명
진단기준	≥ 6.5%
검사	2 ~ 3개월 동안의 평균 혈당치를 반영한다.

③ 경구 당부하 검사(GTT : Glucose Tolerance Test)

구분	설명
진단기준	≥ 250mg/dl
검사	아침 공복 상태에서 혈액을 채취한 후 75g의 포도당을 마시고 30분, 60분, 90분 간격으로 혈액을 채취한다. 예 혈당이 정상으로 돌아오는 데 시간이 얼마나 걸리는지 확인한다.

④ 식후 2시간 혈당 검사(PP2 : Postprandial 2 hours Blood Glucose Test)

구분	설명
진단기준	정상인의 경우 식후 2시간 안에 혈당이 정상으로 돌아온다.
검사	식사 2시간 후 혈당을 측정한다.

⑤ C - 펩티드(Connecting - peptide) : 췌장의 β 세포의 인슐린 생성수준을 파악한다.

(5) 치료 및 간호 ✅기출 '20 '19 '18 '17 '13

① 식이요법
- 탄수화물(55 ~ 60%), 단백질(20 ~ 25%), 지방(15 ~ 20%) 섭취를 권장한다.
- 무기질 · 비타민은 열량을 내지 않고 우리 몸의 기능을 할 수 있도록 하므로 우유 · 채소 · 과일 등 섭취를 권장한다.
- 고섬유질 식이는 공복혈당과 식후혈당 감소 효과가 있고 포만감이 있어 체중 감소에 도움을 준다.
- 규칙적인 식습관을 갖도록 권장한다.
- 연령, 성별, 활동량, 체중, 생활양식에 따른 개인별 계획표 작성이 필요하다.

② 약물
- 경구 혈당강하제 : 제2형 당뇨병에 효과적이다.

TIP 저혈당, 피부홍반, 위장 장애, 흉통, 오심, 구토가 발생할 수 있다.

- 인슐린 : 제1형 당뇨병, 식이요법이나 운동 요법으로 조절되지 않은 제2형 당뇨병에 효과적이다.

TIP 저혈당, 주사 부위 피하지방위축, 소모기 현상, 새벽 현상 등을 발생할 수 있다.

③ 인슐린 투여 시 주의
- 저혈당 : 혈당 40 ~ 70mg/dl 이하일 경우, 두통·시야 장애·공복감·어지러움 등이 나타날 수 있으며 심한 경우 의식수준 저하·이상 행동·경련·혼수가 있다.
- 조직의 비후 및 위축 : 같은 부위에 계속 인슐린을 주사할 경우 주사 부위의 피하조직이 두꺼워져 피하 지방이 함몰될 수 있다.
- 소모기 현상(Somogyi Phenomenon) : 급성 저혈당 시 혈당을 올리기 위해 우리 몸에서 인슐린과 반대작용의 호르몬을 나오게 하는데, 이때 간에서 포도당을 생성하여 혈당이 올라가는 반동성 고혈당이 일어난다.

TIP 인슐린을 자기 전으로 투여 시간을 늦추거나 자기 전에 간식을 줌으로써 완화시킨다.

- 새벽 현상(Dawn Phenomenon) : 새벽까지는 정상 혈당을 유지하다가 이른 아침에 혈당이 상승하는 현상(밤 동안 지속적으로 혈당이 상승)을 말한다.

④ 운동
- 당질대사를 증가시켜 혈당을 낮추고 체중 감소에 효과적이다.
- 규칙적으로 시행하되 심한 운동은 자제한다.
- 운동은 근육이 포도당을 이용하기 때문에 저혈당증이 올 수 있으므로 저혈당을 사정한다.
- 운동 1 ~ 3시간 전 식사나 운동 전후 간식 섭취를 권장한다.
- 유산소 운동은 심폐를 강하게 하며 순환을 증진, 근육 사용에 도움을 준다.

⑤ 당뇨 환자 발 간호
- 말초신경병증 통증에 대한 감각이 감소되어 있어 수시로 발의 상태를 확인하여 궤양, 욕창, 물집 등이 생기지 않는지 관찰한다.
- 미온수로 씻고 약한 비누를 사용한다.
- 발가락 사이사이를 청결하게 유지한다.
- 발은 항상 건조하게 유지하며 순한 로션을 바른다.
- 상처 예방을 위해 맨발로 다니지 않고 꽉 끼는 신발을 착용하지 않는다.
- 처방 없이 티눈이나 굳은 살을 임의로 제거하지 않는다.
- 발톱은 부드럽게 한 후 일직선으로 잘라 정돈한다.

TIP 다리 꼬기, 오랫동안 같은 자세로 앉는 것을 금지한다.

CHECK 실제 면접장에서 이렇게 물어본다 ! ●

* `2021` `대구가톨릭대` 저혈당 증상으로 무엇이 있는지 말해보시오.

* `2020` `인제대해운대백병원` `2019` `인하대` `2016` `고신대 복음병원` 당뇨의 합병증에 대해 말해보시오.

* `2020` `계명대동산` 저혈당 환자 간호와 응급처리에 대해 말해보시오.

* `2020` `이화여대` 당뇨 환자의 혈당이 55 이하일 경우 어떻게 대처할 것인지 말해보시오.

* `2020` `아주대` 당뇨 환자가 갑자기 의식을 잃고 쓰러졌을 때 어떻게 대처할 것인지 말해보시오.

* `2020` `순천향서울` 당뇨 환자에게 교육해야 하는 부분에 대해 말해보시오.

* `2019` `인하대` 저혈당 수치에 따른 진단 기준과 증상에 대해 말해보시오

* `2019` `울산대` 당뇨의 주요 증상 세 가지를 전문용어로 말해보시오.

* `2019` `인하대` 당뇨 환자의 식이를 말해보시오.

* `2018` `양산부산대` 인슐린이 체내에서 하는 역할에 대해 말해보시오.

* `2017` `울산대` 당뇨 환자의 발 관리를 말해보시오.

PART 02 성인간호학

☑ 관련 **의학용어** 알고가기

✔	약 어	용 어	의 미
✓	DI	diabetes insipidus	요붕증
✓	SIADH	Syndrome of Inappropriate secretion of Anti−Diuretic Hormone	항이뇨호르몬부적절증후군
✓	MMI	antithyroid drugs	항갑상샘제
✓	PTH	parathyroid hormone	부갑상샘호르몬
✓	ACTH	adrenocorticotropic hormone	부신피질자극호르몬
✓	GFR	glomerular filtration rate	사구체여과율
✓	DM	diabetes mellitus	당뇨

학습
목표

1. 급성 신부전에 대해 설명할 수 있다.
2. 만성 신부전에 대해 설명할 수 있다.

기출 키워드 | ☐ 급성 신부전 치료 및 간호 ☐ 만성 신부전 발병 단계 및 증상

❶ 급성 신부전(ARF : Acute Renal Failure) ✔기출 '19 '18 '16

(1) 정의
갑작스런 신기능의 상실로 혈액 내 요소와 크레아티닌의 상승을 말한다.

(2) 특징
신장의 여과기능이 갑작스럽게 상실되나, 회복이 가능하다.

(3) 원인
① 신전성(Prerenal)
- 신장 혈류량 감소로 인해 발생한다.
- 출혈, 탈수, 구토, 울혈성 심부전, 심근경색, 패혈증, 아나필락시스 등으로 신장의 허혈상태
  가 발생하여 신장을 손상시킨다.
② 신장성(Renal)
- 신장에 일어난 직접적인 손상이 원인이다.
- 신장질환, 허혈, 신독성 물질로 인한 급성세뇨관
  이 괴사된다.
③ 신후성(Postrenal)
- 폐색으로 인해 신장에서 만들어진 소변의 배출이
  원활하지 못해 발생한다.
- 전립선비대, 요관 결석, 종양 등이 나타난다.

> **필기 키워드**
>
> **Q 급성 신부전의 원인은?**
>
> **A** 신장 혈류량 감소와 신장에 일어난 직접적
> 인 손상이 원인이다. 폐색으로 인해 소변
> 의 배출이 원활하지 못하여 발생한다.

⑷ **증상**

① 무뇨 또는 핍뇨 : 요배설량이 1일 400ml 이하로 감소한다.

② 부종, 체중 증가, 빈혈, 고혈압, 단백뇨의 증상이 나타난다.

③ 혈청 내 크레아티닌, 인산, 포타슘이 상승한다.

④ 대사성 산독증, 요독증을 유발한다.

⑸ **진단검사**

① 혈액검사

• 혈청BUN, creatinine이 상승한다.

• 전해질 불균형을 초래한다.

② 소변 검사 : 요비중, 소변 삼투압, 소듐, 요단백을 확인할 수 있다.

③ 방사선 검사 : 신장초음파, CT, 신장 스캔, 정맥신우조영술, MRI를 실시한다.

④ 신장생검을 실시한다.

⑹ **치료 및 간호**

① 투약

• 신전성인 경우 신장 혈류 증가 위해 수액을 공급한다.

• 전해질과 수분 균형을 위해 이뇨제를 투여한다.

• 고칼륨혈증 교정을 위해 이온교환수지나 Sorbitol을 구강이나 직장으로 투여하고 50% 포도
당, 속효성인슐린 정맥주사를 실시한다.

• 대사성 산증 시 Sodium bicarbonate($NaHCO_3^-$)를 투여한다.

② 식이

• 고칼로리, 단백질, 나트륨, 칼륨 제한 식이를 권장한다.

• 나트륨 · 칼륨 · 인 섭취를 제한한다.

③ 투석 : 다른 치료법이 효과가 없고 수분과다가 심하거나 조절되지 않는 심한 고칼륨혈증과
산독증, 요독증 증상이 나타나는 경우에 시행한다.

④ 심전도 모니터링 : 고칼륨혈증으로 인한 급성 심정지 위험으로 심전도 모니터링이 필요하다.

⑤ 빈혈 관리 : 철분제제, 비타민K를 투여한다.

⑥ 간호중재 : 피부손상 예방, 요도 카테터 피하기, 감염 예방 등을 실시한다.

❷ 만성 신부전(CRF : Chronic Renal Failure)

(1) 정의

신기능이 저하되어 점진적이고 비가역적인 상태가 3개월 이상 지속되는 경우이다.

(2) 원인

당뇨성 신장 경화증, 고혈압성 신장 경화증, 신장 병변, 사구체신염, 독성물질 약물의 사용 등이 요인이다.

(3) 발병 단계

① 신장 예비력 감소(Decreased Kidney Reserve) : BUN, Creatine이 정상이다.

TIP 무증상이다.

② 신장 기능 부전(Kidney Insufficiency) : BUN, Creatine이 증가하기 시작한다.

TIP 요 농축 능력 손상, 야뇨증, 약한 빈혈이 나타난다.

③ 신부전(Kidney Failure)
- BUN, Creatine이 증가한다.
- 질소혈증, 산증이 나타난다.
- 요 희석능력이 손상된다.
- 고나트륨혈증, 고인산염혈증, 고칼륨혈증을 유발한다.

TIP 심한 빈혈 증상을 보인다.

④ 말기 신부전(ESRD : End - Stage Renal Disease)
- BUN, Creatine이 높다. 사구체여과율은 10% 미만(15ml/min)이다.
- 모든 장기에 장애가 발생한다.

TIP 핍뇨, 무뇨증, 빈혈, 대사성 산독증, 신부전 증상 등이 나타난다.

⑤ 빈혈 관리 : 철분제제, 비타민K를 투여한다.

⑥ 간호중재 : 피부손상 예방, 요도 카테터 피하기, 감염 예방 등을 실시한다.

(4) 증상 ✅ 기출 '20 '19 '18

① 전해질 불균형
- 신부전 초기 : 수분의 정체로 인해 저나트륨혈증을 유발한다.
- 신부전 말기 : 고나트륨혈증으로 고혈압과 울혈성 심부전을 유발한다.

② 고요산혈증, 저칼슘혈증을 유발한다.

③ 조혈인자 감소로 빈혈, 반상 출혈이 나타난다.

④ 식욕부진, 오심, 구토, 장 마비, 설사 증상을 보인다.

⑤ 골연화증, 섬유성골염, 골다공증을 유발한다.

⑥ 호흡 시 악취, 암모니아 냄새가 난다.

⑦ 심한 소양감, 피부 색소침착이 진행된다.

⑧ 말초신경병증으로 인해 발에 작열감이 느껴진다.

⑨ 중추신경계 변화로 인한 건망증, 집중력 저하, 사고력 장애, 기면, 혼란, 경련, 혼수 증상이 나타난다.

⑩ 여성인 경우 무월경, 불임 남성의 경우 발기부전, 고환위축, 소정자증을 유발한다.

⑪ 요독증 : 신기능이 감소되어 신장을 통해 배설되어야 하는 요산이 배설되지 못해 체내에 축적되어 다양한 증상이 나타난다.

> **TIP** 기면, 두통, 불안, 식욕부진, 소양증, 오심, 구토, 요흔성 부종, 혼돈, 경련, 심낭염 등의 증상이 나타난다.

(5) **진단 검사** ✅**기출** '16 '15

① 단백뇨 검사를 시행한다.

② 혈액검사 : 사구체 여과율과 전해질 불균형을 파악한다.

③ KUB, CT, 신장 초음파 검사를 실시한다.

> **필기 키워드**
>
> **Q** 만성 신부전 식이요법으로 권장하는 사항은?
> **A** 고칼로리, 단백질, 나트륨, 칼륨을 제한하고 철분, 칼슘, 비타민D 보충을 권장한다.

(6) **치료 및 간호**

① 식이
- 고칼로리, 단백질, 나트륨, 칼륨 제한 식이를 권장한다.
- 철분, 칼슘, 비타민D를 보충한다.

② 고칼륨혈증 시 Calcium Glucose 정맥주사를 실시하며 이온교환수지를 동반한다.

③ 고혈압 시 안지오텐신 전환효소 억제제, 칼슘 길항제를 투약한다.

④ 상처 및 감염 예방에 신경쓴다.

⑤ 요흔성 부종을 관리한다.

⑥ 변 완화제 투여로 변비를 예방한다.

⑦ 신장이식을 실시한다.

⑧ 피부 소양증 간호
- 미지근한 물로 씻고 자극적인 비누 사용을 줄인다. 로션으로 피부 건조함을 예방한다.
- 시원하고 서늘한 환경을 유지하며 손톱은 짧게 깎는다.

⑨ 투석환자의 동정맥루(Arteriovenous Fistula) 간호
  • 전박의 요골이나 척골 동맥과 요골 정맥 사이 문합이 흔하다.
  • 혈관 성숙을 위해 6주 후 사용 가능하다.
  • 진동(Thrill), 잡음(bruit)을 통해 혈액의 흐름을 확인한다.
  • 동정맥루가 있는 팔은 무거운 물건을 들지 않도록 한다.
  • 바늘 삽입 부위 출혈, 감염 유무를 확인한다.

TIP 동정맥루가 있는 팔에는 혈압 측정, 채혈, 정맥주사를 금지한다.

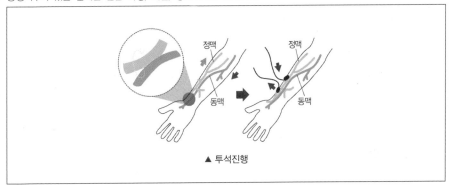

▲ 투석진행

CHECK 실제 면접장에서 이렇게 물어본다 !

＊ **2017** 아주대 **2017** 부산백병원 만성 신부전의 증상과 Full Term에 대해 말해보시오.

☑ 관련 **의학용어** 알고가기

✔	약 어	용 어	의 미
✓	BUN	blood urea nitrogen	혈중요소질소
✓	TVT	trans vaginal tape	질경유테이프
✓	TOT	trans obturator tape	경폐쇄공 테이프
✓	R.G.P	retrograde pyelography	역행성 신우촬영술
✓		cystoscopy	방광경검사
✓	PEMT	pelvic floor muscle training	골반저부근육 강화훈련

근골격계

학습
목표

1. 외상 간호에 대해 설명할 수 있다.
2. 류마티스 관절염과 통풍에 대해 설명할 수 있다.

기출 키워드 | ☐ 류마티스 관절염 ☐ 쇼그렌 증후군 ☐ 인공관절치환술 ☐ 통풍

PART 02 성인간호학

1 외상 간호 ⊘ 기출 '20 '16 '15

(1) 타박상(Contusion)

① 특징 : 둔탁한 힘에 의한 연조직 손상, 국소적 출혈, 피하출혈, 심부조직의 파괴를 동반한다.

② 간호 : 손상 부위를 상승시키고 냉요법을 실시하여 출혈과 부종을 감소시킨다.

(2) 근염좌(Distortin)

① 특징 : 근육의 과신전, 근육이 심하게 긴장했을 때 발생한다.

② 간호 : 손상 받은 근육을 휴식시키며, 부목을 적용한다. 24 ～ 48시간은 Ice Bag을 적용한다.

(3) 염좌(Strain)

① 특징 : 인대나 인접조직이 늘어나 심한 압통을 동반한다.

② 간호 : 부목을 적용하며, 3 ～ 4주간의 지속적인 부동을 유지한다.

(4) 탈구(Dislocation)

① 특징 : 관절의 정상 위치에서 이탈하여, 관절에서 분리된 상태이다.

② 간호 : 부목과 석고 붕대를 적용하며 수술적 치료 시 신경 손상, 변화 여부를 확인한다.

(5) 석고붕대 환자 간호

① 손상 부위 신경혈관계 상태 사정 : 순환, 운동, 감각을 확인한다.

② 손상 부위 상승시키고 얼음팩을 적용하여 부종을 감소시킨다.

③ 석고붕대 적용 부위의 통증, 창백, 맥박 소실, 감각이상, 마비 증상을 보이는 경우 석고붕대
를 바로 제거해야 한다.

TIP 석고붕대 적용 부위에 드라이기, 히터 사용을 금지한다.

② 류마티스 관절염(RA : Rheumatoid Arthritis) ✅ 기출 '21 '20

(1) 정의

활막 관절 내의 결합조직의 염증성 변화를 가져오는 만성, 전신적 자가면역 질환이다. 40 ~ 60대 여성에게 발병률이 높다.

(2) 원인

자가면역성, 유전에 의해 발병한다.

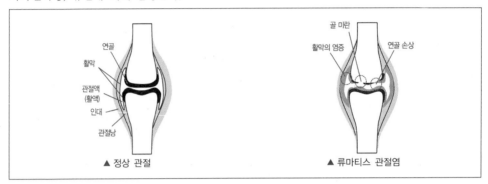

(3) 증상 ✅ 기출 '20 '19 '17

① 대칭적인 증상이 나타난다.
② 피로감, 체중 감소, 열, 권태감을 느낀다.
③ 조조강직 : 기상 후 30분이 지나야 부드러워진다.
④ 활액막의 염증 발생하면서 판누스(Pannus)가 형성된다. 활액막의 과립조직이 섬유성조직으로 대치되어 섬유성 관절강직 발생하고 골 강직성이 변형된다.
⑤ 통증, 열감, 부종, 운동의 제한, 근육의 허약 및 위축을 느낀다.
⑥ 손가락 관절의 신전 변형, Swan Neck 기형, Boutonniere 기형 증상이 나타난다.

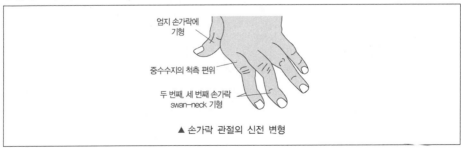

▲ 손가락 관절의 신전 변형

⑦ 심낭염, 혈관염을 유발한다.

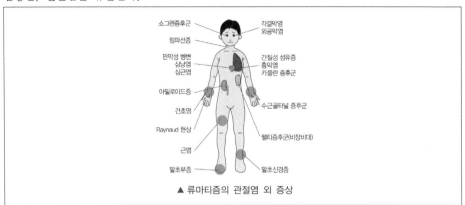
▲ 류마티즘의 관절염 외 증상

⑧ 쇼그렌 증후군(Sjogren's Syndrome) : 외분비샘에 림프구가 침범하여 침, 눈물 분비가 감소하여 구강 건조 및 안구건조 증상이 나타나는 증후군이다.

⑨ 펠티 증후군(Felty Syndrome) : 류마티스 관절염, 비장비대, 하지 피부 색소 침착, 백혈구 및 혈소판 감소증 등의 증상을 특징으로 하는 증후군이다.

⑩ 류마티스 결절(Rheumatoid Nodule) : 주관절 피하에 류마티스 피하결절이 나타난다.

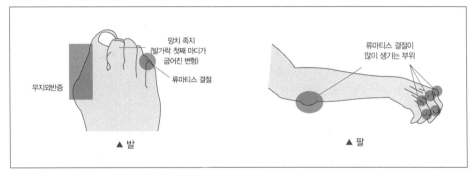
▲ 발   ▲ 팔

(5) **진단 검사**

① 혈액검사

- 류마티스 인자(RF : Rhematoid factor) : 확진검사는 아니며, 류마티스 관절염 환자의 80% 에서 RF가 양성으로 나타난다.
- 적혈구 침강속도(ESR), C − Reactive Protein(CRP), 항핵항체(ANA : Anticnuclear Antibody)가 증가한다.

② 활액검사를 실시한다.

③ 방사선 검사를 실시한다.

(6) **치료 및 간호**

① 약물

- 비스테로이드성 소염제(NSAIDs) : 항염 · 진통 · 해열 작용과 류마티스 관절염의 염증을 억제 시킨다.
- 아스피린 : 통증완화와 염증 조절에 효과적이다.
- 스테로이드제 : 염증 억제로 조직파괴를 방지하여 염증 조절과 관찰의 통증을 가라앉히는 데 효과적이다.
- 항류마티스제를 투여한다.
- 면역억제제를 투여한다.

② 간호

- 급성기엔 절대 안정을 취하며 관절을 쉬게 하여 보호한다.
- 통증 시 열 · 냉요법을 시행한다.
- 조조강직 시 더운물 목욕을 시행한다.
- 침상 안정 기간 중 등척성 운동을 시행한다.
- 급성기에는 수동적 ROM으로 관절 변형을 최소화 한다.
- 수술 : 활액막절개술, 관절 이식, 관절 고정술, 인공관절 대치술을 실시한다.

CHECK 실제 면접장에서 이렇게 물어본다 !

＊ 2020 영남대 2017 동아대 2017 고려대 석고붕대 환자 간호에 대해 말해보시오.

＊ 2016 아주대 다발성외상환자가 응급실을 통해 내원할 때 어떻게 대처할 것인지 말해보시오.

류마티스 질환 환자의 백신 접종

관련 기사

대한류마티스학회가 류마티스 질환 환자들에게 코로나19 백신 접종을 당부하였다. 면역억제제를 사용 중이더라도 백신으로 인한 코로나19 감염 위험은 없으며 오히려 류마티스 질환이 악화할 가능성도 적다고 밝혔다. 다만 환자의 상태와 약물에 대한 알레르기 반응으로 효과에 영향을 미칠 수 있으므로 사전에 전문가의 조언을 듣고 투여하라고 덧붙였다.

☑ 이렇게 물어볼 수 있어요!

류마티스 환자에게 투여하는 약물 중 비스테로이성 소염제는 어떤 작용을 하는지 말해보시오.

---

③ 인공관절치환술 간호 ⊘기출 '21

(1) **고관절 전치환술(THA : Total Hip Arthroplasty)**

① 탈구 예방을 위해 수술 받은 다리가 중앙선을 넘거나 무릎이 몸 쪽으로 돌려지지 않도록 주의한다.

② 다리 사이 베개를 두어 외전을 유지한다.

③ 고관절이 $90°$ 이상 굴곡되지 않도록 한다.

④ 둔부 힘주기 운동으로 근력을 강화한다.

⑤ 높은 변기와 의자를 사용한다.

TIP 다리 꼬기, 수술한 부위로 측위를 금지한다.

(2) **슬관절 전치환술(TKA : Total Knee Arthroplasty)**

① 수술 후 48시간 동안 다리를 거상시켜 정맥 순환을 촉진한다.

② 무릎은 굴곡시키지 않도록 주의한다.

③ 지속적 수동운동 기계(CPM : Continuous Passive Motion)를 적용한다.

④ 가벼운 체중부하 운동부터 시작하다가 추후 능동적 굴곡운동을 시작한다.

④ 통풍(Gout)

(1) 정의

요산 결정체가 관절에 축적되어 염증을 일으키는 전신성 대사장애이다.

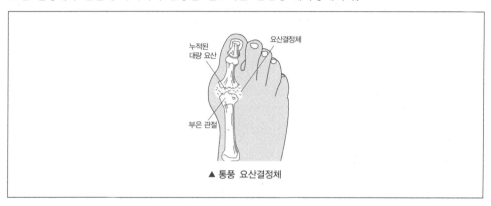

▲ 통풍 요산결정체

(2) 원인

① 원발성(80%) : 요산의 과잉 생산이나 정체를 초래하는 퓨린 대사의 유전적 결함이 요인이며 30 ~ 50세 비만 남자에게 발병률이 높다.

② 속발성 : 다른 질병이나 약물에 의해 초래된다.

(3) 증상 ✔기출 '18 '17

① 통풍결절(Tophi)이 나타난다.

② 엄지발가락의 염증이 가장 흔한 침범 부위이며 그 다음으로 족저 내측부, 슬관절, 족관절 순으로 침범한다.

③ 발열, 관절의 심한 종창, 근막과 건을 침범한다.

④ 반복되는 재발로 인한 섬유성 강직이 일어난다.

⑤ 만성 진행 시 조조강직이 나타난다.

(4) 진단 검사

① 혈액검사 : 고요산혈증을 발견할 수 있다.

② 활액분석 검사 : 요산 결정체 발견할 수 있다.

(5) **치료 및 간호**

① 급성기엔 절대안정이 필요하며 부목고정과 냉습포를 적용한다.

② 약물

- Colchicine : 통증 완화와 요산 배설을 촉진한다.
- ACTH : 요산 제거, 비특이성 항염증에 효과적이다.
- Allopurinol : 요산 생성을 억제한다.
- NSAIDs : 통증 시 투약한다.

TIP 아스피린은 요산 배설 촉진을 불활성화 시키므로 금지한다.

③ 부작용 : 오심, 설사, 구토가 발생할 수 있다.

④ 식이

- 저퓨린 식이를 권장한다.
- 수분과 알칼리성 식품 섭취를 권장한다.

5 골다공증(Osteoporosis) ✔기출 '21 '19 '17

(1) **정의**

뼈에서 무기질이 빠져 나가 골밀도가 감소하여 병리적 골절이 생기는 대사질환이다.

(2) **원인**

노화, 에스트로겐 결핍, 영양결핍, 가족력, 흡연, 부갑상샘 기능 항진증, 스테로이드의 장기사용 등이 요인으로 작용한다.

(3) **증상**

① 불안정한 걸음걸이, 경직, 식욕 부진, 흉추와 요추 통증이 나타난다.

② 다발성 압박골절이 발생한다.

(4) **진단**

① 혈액검사 : 칼슘, 인 농도 검사를 시행한다.

② BMD, CT검사를 시행한다.

(5) 치료 및 간호

① 골다공증이 진행되면 더 이상 진전되지 않도록 예방이 중요하다.

② 약물

- 칼슘, 비타민D, 칼시토닌, 소량의 에스트로겐을 투여한다.
- Biphosphonates : 골 파괴를 억제한다.
- Raloxifene : 골다공증 치료 및 예방한다.
- 통증 시 진통제를 투여한다.

③ 식이 : 마그네슘, 칼슘, 비타민D, 적당량의 단백질 섭취를 권장한다.

④ 운동 : 체중부하운동(걷기), 근력 강화 운동, 낙상 주의에 신경 쓴다.

ⓒ 관련 의학용어 알고가기

✔	약 어	용 어	의 미
✓	ANA	antinuclear antibodies	항핵항체
✓	RA	rheumatoid arthritis	류마티스 관절염
✓	ESR	erythrocyte sedimentation rate	적혈구 침강속도
✓	THA	total hip replacement arthroplasty	고관절 전치환술
✓	TKA	total knee arthroplasty	슬관절 전치환술
✓	RF	rheumatoid factor	류마티스 인자
✓	PCA	patient controlled analgesia	자가조절진통제

감각계

출제빈도 ●○○○○ | 학습결과 ☺☺☹

학습
목표

1. 녹내장과 백내장에 대해 설명할 수 있다.
2. 메니에르병에 대해 설명할 수 있다.

기출 키워드 | ☐ 녹내장 증상 ☐ 낭외 백내장 적출술 ☐ 메니에르병

1 녹내장(Glaucoma)

(1) 정의

방수 유출 통로의 폐쇄로 안압이 상승된 상태이다.

(2) 특징

안압 상승 시 망막세포와 시신경의 위축이 일어나 시야결손과 시력 상실이 나타난다.

(3) 종류

① 원발성 개방각 녹내장(만성 광각형 녹내장) : 가장 흔한 형태이며, 유전적 소인을 포함하여 여러 복합적인 원인으로 발생한다.
② 원발성 폐쇄각 녹내장(급성 협각형 녹내장) : 전방 안각이 구조적으로 협착되어 급성으로 나타난다.
③ 속발성 녹내장 : 눈의 염증, 외상 등으로 인해 발생한다.

(4) 증상

① 원발성 개방각 녹내장(만성 광각형 녹내장)
  • 초기에는 초생달 모양의 암점이 발생한다.
  • 암순응이 어렵고 과도한 눈물을 분비한다.
  • 주변시야를 소실(터널시야)하게 된다.
② 원발성 폐쇄각 녹내장(급성 협각형 녹내장)
  • 방수 유출이 막히면서 안압이 상승한다.
  • 시력이 소실되고 시야가 침침해진다.
  • 광원 주위에 무지개가 보인다.
  • 오심, 구토를 유발한다.

(5) **진단검사**

① 안압검사(Tonometry)를 실시한다.

② 검안경으로 시신경 유두부 위축, 함몰을 관찰한다.

③ 시야 검사를 실시한다.

필기 키워드

ⓠ 녹내장의 종류는?

ⓐ 원발성 개방각 녹내장, 원발성 폐쇄각 녹
　내장, 속발성 녹내장

(6) **치료 및 간호**

① 약물

• 축동제 : 동공을 수축하고 방수를 유출한다.

• β − blocker · α − adrenergics : 방수 생성을 감소시킨다.

• 모양근 마비제 : 동공을 이완시키고 모양근과 홍채 이완근을 마비시킨다.

② 외과적 치료 : 누공술, 섬유성형술, 홍채 절제술을 실시한다.

③ 축동제 사용 시 1 ~ 2시간은 시력이 흐려져, 어두운 환경에 적응하기가 어려움을 교육한다.

④ 정기적인 눈 검사와 올바른 안약사용을 교육한다.

TIP 무거운 물건을 들어 올리거나 목을 압박하는 등 안압을 상승시키는 행위를 금지한다.

❷ 백내장(Cataracts) ✅기출 '21

(1) **정의**

수정체의 혼탁으로 시력 감소 및 시력 상실을 일으킨다.

(2) **원인**

노화, 당뇨병, 파상풍, 망막염, 망막박리 등으로 인해 발생한다.

(3) **증상**

① 시야가 흐려진다.

② 복시현상이 나타난다.

③ 점진적으로 시력을 상실한다.

④ 하얀 동공과 혼탁한 수정체를 보인다.

(4) **치료 및 간호**

① 외과적 치료 : 유일한 방법이며 성공률이 높고 고령도 수술이 가능하다.

② 낭외 백내장 적출술(Extracapsular Extraction)

• 가장 흔한 백내장 적출술이다.

• 수정체 후낭을 제외한 전낭을 제거하고 인공 수정체 삽입한다.

• 안압 상승을 주의해야 한다.

③ 낭내 백내장 적출술(Intracapsular Extraction) : 수정체낭까지 포함하여 수정체 전체를 적출한다.

(5) **백내장 환자 수술 간호**

① 수술 전 간호

• 진정제, acetazolamide(Diamox)를 투여하여 안압을 감소시킨다.

• 교감신경 자극 약물을 투여하여 동공을 확대한다.

② 수술 후 간호

• 수면 중 보호용 안대를 착용하고 눈을 비비지 않도록 한다.

• 수술 부위를 확인하면서 출혈 양상을 관찰한다.

• 밝은 환경에 노출 시 검은 안경을 착용한다.

• 안압 상승을 예방한다.

TIP 안압 상승 예방

• 진통제로 경감되지 않는 통증이 있다.

• 머리를 30° 상승시켜 수술 부위 봉합선에 주어지는 압력을 낮춘다.

• 측위 시 수술을 받은 쪽으로 눕기를 금지한다.

• 기침 · 재채기 · 구토를 예방한다.

• 변 완화제 투여로 힘주기를 금지한다.

• 무거운 물건 들기, 고개 숙이기를 금지한다.

❸ 메니에르병(Meniere's Disease) ✅ 기출 '21

(1) 정의

액압의 증가로 내림프 수종을 일으키는 내이에 발생하는 질환이다. 발병 비율이 남성보다 여성이 더 높다.

(2) 원인

원인불명이나, 내림프액의 흡수장애와 내림프관 폐쇄, 가족력이 요인으로 작용하기도 한다.

(3) 증상

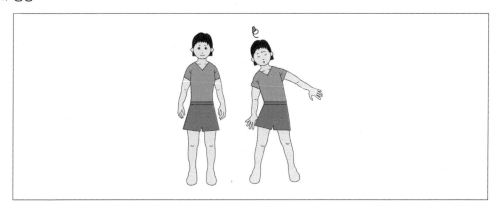

① 이명, 감각신경성 난청, 현훈증상이 나타난다.
② 오심, 구토, 균형 장애, 자율신경계 증상을 유발한다.
③ 두통과 뒷목이 강직되고, 귀에 무언가 꽉 차 있는 듯한 느낌이 든다.

(4) 진단검사

① 청력측정검사 및 전기안진검사를 실시한다.
② Romberg Test : 눈을 감고 발을 붙이고 서있을 때 과도한 흔들림, 균형의 상실을 보이면 양성 반응이다.

(5) 치료 및 간호

① 식이 : 저염식이, 카페인, 알코올 섭취를 제한한다.
② 갑작스런 현훈 발생 시 : 머리 움직임을 제한하고 편평한 바닥에 누워 증상이 사라질 때까지 눈을 감고 눕는다.

③ 약물
- 항콜린성제제 : 급성 발작 시 자율신경 활동을 감소시킨다.
- 이뇨제 : 미로의 부종을 완화한다.
- 항히스타민제 : 어지러움을 완화한다.
- 진정제 : 현훈 완화와 안정을 돕는다.
④ 전정재활 : 현기증 유발하는 동작을 반복하여 손상된 균형체계를 보상한다.
⑤ 외과적 치료 : 내림프낭 감압술, 미로절제술, 유양돌기 절제술, 전정신경 절제술을 실시한다.

📋 관련 기사

메니에르병 연구

국내 처음으로 메니에르병에 대한 유병률 연구결과가 발표되었다. 우리나라의 전체 메니에르 유병율은 2013 ~ 2017년 사이 총 4.3배가량 증가하였으며, 특히 여성이 남성보다 2.1배 더 많이 발병하는 것으로 확인되었다. 뿐만 아니라 습도가 높은 계절일수록 발병률이 높아진다는 것이 나타나 더운 여름이 메니에르병의 악화요인이 될 수 있다는 점을 거론하였다.

☑ 이렇게 물어볼 수 있어요!
메니에르병의 증상과 치료 약물에 대해 말해보시오.

✓ 관련 **의학용어** 알고가기

✔	약 어	용 어	의 미
✓		uveitis	포도막염
✓		electroretinograph	망막전계
✓		corneal reflex	각막반사
✓		subconjunctival hemorrhage	결막하출혈
✓		tinnitus	이명
✓		conductive deafness	전도성난청
✓		Emdolymphatic hydrops	내림프수종

학습
목표

1. 응급환자를 분류할 수 있다.
2. 심폐소생술 순서를 설명할 수 있다.

기출 키워드 | □ 응급간호 원칙 □ 응급관리 우선순위 □ 심폐소생술

❶ 응급간호

(1) 응급간호 원칙

① 기도 개방, 적절 환기 제공하며 필요시 심폐소생술을 시행한다.

② 출혈 조절, 쇼크 예방 및 치료, 순환 혈액량을 유지하여 심박출량 평가하고 유지시킨다.

③ 의사소통능력, 운동반응 정도, 동공 크기와 반응을 확인한다.

④ 초기 신속한 신체검진을 통해 심각한 손상이나 질병이 있으면 지속적으로 환자 상태를 사정한다.

⑤ 심장 기능의 지속적인 관찰이 필요하다.

⑥ 골절 의심 시 부목을 적용한다.

⑦ 멸균 드레싱으로 상처를 보호한다.

⑧ 알레르기나 건강문제를 확인한다.

⑨ 활력징후, 신경학적 상태, 섭취량 및 배설량을 기록한다.

여전히 몸살을 앓고 있는 응급실…

관련 기사

응급실에서 의료진을 폭행하거나 난동을 부릴 경우 응급의료에 관한 법률 위반 혐의로 체포될 수 있음에도 여전히 응급실 난동은 심심찮게 벌어지고 있다. 최근에는 만취한 상태로 응급실에서 진료를 거부하고 소동을 부린 사례도 있었다. 해당 사례는 자기결정권에 따른 진료 거부라고 보기 어려우며 응급의료 방해 행위에 해당한다는 판단과 함께 벌금 500만 원이 선고되었다.

☑ 이렇게 물어볼 수 있어요!
　응급실에서 환자가 진료를 기부할 경우 어떻게 대처할 것인지 말해보시오.

---

(2) 응급환자 분류(Triage)

① 정의 : 신속하게 의학적 중재가 필요한 환자를 가려내기 위해 부상이나 질병 정도를 파악하여 치료 우선순위 결정하고 간호사가 정확하게 분류해야 한다.

② 한국형 중증도 분류 도구(KTAS)

구분	진료시작	재평가	증상
Level1 소생	즉시	지속적	• 심정지 • 중증 외상(쇼크) • 중증 호흡부전 • 의식 장애(GCS 3 ~ 8)
Level2 긴급	15분 내	10분마다	• 중증 호흡부전 • 토혈 • 고혈압(증상 동반한 SBP > 220 or DBP > 130) • 의식 장애(GCS 9 ~ 13) • 발열(BT > 38, SIRS 기준에 만족하는 r/o sepsis) • 심한 흉통, 복통, 두통 • 중증 외상, 둔상
Level3 응급	30분 내	30분마다	• 경한 호흡부전 • 고혈압(증상 없는 SBP > 220 or DBP > 130) • 구토, 오심 • 중증도 복통, 두통 • 조절되지 않는 혈성 설사
Level4 준응급	1시간 내	60분마다	• 만성 착란 • 요로 감염 • 변비
Level5 비응급	2시간 내	120분마다	• 탈수 없는 설사 • 심하지 않는 물린 상처 • 상처 소독, 약 처방

⑶ 응급관리 우선순위

① 정의 : 순환(C), 기도유지(A), 호흡(B)에 중점을 두고 외상환자의 경우 장애(D)와 노출(E)을 추가로 확인한다.

② 1차 사정

순환 (Circulation)	• 말초와 중심맥박이 있는지를 촉진하여 확인하고 맥박이 없는 경우 심폐소생술을 실시한다. • 외출혈이 있으면 두껍고 마른 거즈 등으로 출혈 부위를 압박한다. • 말초정맥관을 삽입하여 적절한 수액공급 및 활력징후를 사정한다.
기도유지 (Airway)	• 턱 올리기(Head – Tilt – Chin – Lift) : 한 손으로 환자의 머리를 뒤로 젖히고 다른 손으로 손가락을 이용하여 하악을 잡은 뒤, 턱을 들어 올려 머리가 뒤로 기울어지게 한다. 척수 손상이 의심되면 턱 밀어 올리기(Jaw – thrust)를 실시한다. • 소생술이 필요한 환자들에게 산소 공급 및 적절한 기도를 유지한다. • 필요시 흡인하여 분비물 및 조직 파편을 제거한다.
호흡 (Breathing)	• 호흡음을 청진하여 흉곽확장, 호흡노력, 보조 근육이나 복근의 사용 등을 관찰한다. • 호흡이 없거나 환기가 불량한 대상자는 기관 삽관을 통해 기계적 환기를 유지한다.
장애 (Disability)	• GCS(Glasgow coma scale)를 이용하여 의식상태를 사정한다. • 대광반사를 확인한다. • 사지의 변형 및 근력 가동 범위와 통증을 사정한다.
노출 (Exposure)	• 모든 옷을 제거하고 증거물 보존 시 기관에 정책에 따라 물품을 다룬다. • 저체온증 예방 위해 가열램프나 전기담요를 제공한다.

③ 2차 사정

• 활력징후를 사정한다.

• 심전도 모니터링, 혈뇨 확인, 소변 배설량 측정을 위해 유치도뇨관을 삽입한다.

• 초음파 검사, 12유도 EKG, 방사선 검사 및 혈액검사를 시행한다.

• 2차 조사에서는 가족 입회를 권유한다.

• 안위도모 : 약물 요법과 비약물 요법을 이용하여 통증을 관리한다.

• 병력 파악 : 사고나 손상 또는 질병력을 파악하고 사고에 대한 자세한 내용을 파악한다. 알레르기, 복용 약물, 과거병력, 마지막 식사 등을 사정한다.

• 환자 신체 뒷면 살펴보기 : 등에 반상 출혈, 찰과상, 변형 등을 사정한다.

(4) 심폐소생술

① 심정지 확인 : 무반응, 무호흡, 10초 이내에 무맥박이 확인된다.

② 순서 : 호흡과 맥박의 비정상 여부 확인(10초 이내) → 가슴 압박 시행 → 기도 유지 → 인공호흡

③ 가슴압박

- 성인은 5cm, 소아는 1/3(4 ~ 5cm)으로 시행한다.
- 의료제공자가 1인일 경우 성인은 30 : 2 비율로 가슴 압박과 인공호흡을 시행한다.
- 소아의 경우 15 : 2로 시행한다.
- 최저 분당 100회 이상, 120회 미만을 유지한다.

④ 기도유지

- 머리를 젖히고 턱 들기(Head Tilt – Chin Lift)를 실시한다.
- 경추손상 의심 시 하악 견인법(Jaw Thrust)을 실시한다.

CHECK 실제 면접장에서 이렇게 물어본다 !

* 2021 | 아주대의료원 CPR 상황에 대한 전반적인 간호중재를 말해보시오.
* 2019 | 인하대 CPR의 Full Term과 목적을 말해보시오.
* 2019 | 동아대 응급간호에 대해 말해보시오.
* 2018 | 인제대해운대백병원 응급환자 분류체계를 말해보시오.
* 2014 | 아주대 CPR 시 흉부압박과 호흡 비율, 깊이(몇 cm 압박)를 말해보시오.

◇ 관련 **의학용어** 알고가기

✔	약 어	용 어	의 미
✓	EMS	emergency medical services	응급의료서비스
✓	BLS	basic life support	기본심폐소생술
✓	ACLS	advanced cardiac life support	전문심장소생술
✓	CPR	cardiopulmonary resuscitation	심폐소생술
✓	GCS	Glasgow coma scale	의식 장애 수준 확인
✓	CDC	centers for disease control and prevention	질병통제예방센터

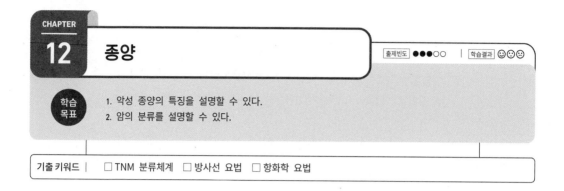

학습
목표
1. 악성 종양의 특징을 설명할 수 있다.
2. 암의 분류를 설명할 수 있다.

기출 키워드 | □ TNM 분류체계 □ 방사선 요법 □ 항화학 요법

1 악성 종양

(1) 정의

세포가 무제한 분열되어 돌연변이 세포가 형성되는 종양을 의미한다.

(2) 특징

① 성장 속도가 빠르고 주변 조직을 침윤하면서 염증 · 궤양 · 궤사를 초래한다.

② 재발과 전이가 흔하며 림프계, 혈액 또는 직접 확장에 의해 전이된다.

③ 대부분 세포의 분화가 안되며 핵은 크고 세포는 작다.

④ 피막이 없어 주위 조직으로 전이가 잘되며 수술 시 제거가 어렵다.

⑤ 양성 종양에 비해 예후가 나쁘다.

2 암의 분류(TNM Staging 분류 체계) ✔기출 '21

(1) 종양의 크기(Tumer)

① TX : 종양이 측정 또는 발견되지 않는다.

② T0 : 원발성 종양의 증거가 없다.

③ TIS : 상피내암(Carcinoma in Situ)이다.

④ T_1, T_2, T_3, T_4 : 종양의 크기와 침범 정도가 증가한다.

(2) **국소림프결절(Node)**

① NX : 국소림프결절을 알 수 없다.

② N0 : 림프절에 병변 없다.

③ N1a, N2a : 국소 림프절에 이상소견이 있으며 전이가 의심되지 않는 경우이다.

④ N1b, N2b, N3 : 국소 림프절에 이상소견이 있으며 전이가 의심되는 경우이다.

(3) **전이(Metastasis)**

① MX : 전이를 알 수 없다.

② M0 : 전이가 없다.

③ M1, M2, M3 : 멀리 전이의 증거가 있으며 림프절을 포함한 숙주 침투력이 상승한다.

3 암 치료

(1) **수술 요법**

① 수술은 암을 제거하는 데 중요한 역할을 한다.

② 통증 경감과 재활에도 활용된다.

③ 암 예방법으로는 많이 사용하지 않는다.

(2) **방사선 요법**

① 목적 : 최대한 정상세포를 보호하고, 유해한 암세포를 파괴한다.

② 부작용

- 많은 에너지 소모로 피로감을 느낀다.
- 피부가 건조하고, 붉어진다. 가려움을 느끼고 벗겨진다.
- 오심, 구토, 설사가 발생할 수 있다.
- 여성의 경우 완경, 남성의 경우 정자 생성 능력을 상실한다.
- 빈혈, 백혈구 감소증, 혈소판 감소증을 유발한다.
- 면역력이 저하된다.
- 탈모가 발생한다.

③ 간호

- 치료 부위의 피부를 건조하게 유지한다.
- 치료 부위는 문지르지 않는다.

TIP 처방받지 않는 화장품, 파우더, 비누는 금지한다.

- 피부에 표시된 그림이 지워지지 않도록 한다.
- 치료 시 탈모가 올 수 있으나 치료가 끝나면 회복 가능함을 설명한다.
- 구강이 건조하고 잇몸이 약해질 수 있으므로 물을 자주 마시고 구강 간호를 실시한다.

(3) 항화학 요법

① 목적 : 암세포에 직접 작용하여 DNR과 RNA의 활성을 억제하고 암세포의 분화를 저해한다.

② 투여 원칙

- 한 가지 약물보다는 병합투여가 효과적이다.
- 최고의 치료는 최고의 효과가 있는 약제를 사용한다.
- 화학 요법이 면역 저하, 백혈구감소를 유발하므로 감염이 있으면 보류해야 한다.

③ 부작용

- 골수기능이 저하된다.
- 비출혈, 점상출혈을 유발한다.
- 발열, 피로감, 홍조가 나타난다.
- 오심, 구토, 식욕부진이 나타난다.
- 설사, 변비, 탈모가 발생한다.
- 광선과민증을 유발한다.
- 여성의 경우 완경, 남성의 경우 정자 생성능력 상실한다.

④ 간호

- 감염 예방 위해 개인위생을 교육한다.
- 오심, 구토로 인해 필요시 항구토제를 투여한다.
- 쉽게 소화가 가능하고 자극 없는 부드러운 음식을 섭취한다.
- 부드러운 칫솔을 사용한다.
- 구내염 발생 시 알코올 없는 구강액으로 구강 간호를 시행한다.
- 임신 계획 시 치료 전 주치의와 상의가 필요하다. 치료가 끝나고 2년 뒤에 임신을 권고한다.

TIP 아스피린계통 약물은 출혈을 유발하므로 사용을 금지한다.

CHECK 실제 면접장에서 이렇게 물어본다 !
* 2020 국립암센터 말기 암 환자에게 해줄 수 있는 간호는 무엇인지 말해보시오.
* 2015 경북대 항암화학 요법 환자의 간호를 말해보시오.

기출문제 맛보기

학습
목표

1. 복원한 기출 문제를 통해 필기 유형을 익힐 수 있다.
2. 해설을 통해 전공 개념을 확실히 할 수 있다.

PART 02 성인간호학

2022부산대 2021양산부산대 2021서울시의료원 2021경상대 2019경북대

1 당뇨에 관한 설명으로 올바른 것은?

① 혈당이 높아진 경우 글루카곤이 분비된다.
② 혈당이 낮아진 경우 인슐린이 분비된다.
③ 췌장의 베타세포 파괴로 인슐린 분비가 불가한 것이 제1형당
　뇨병이다.
④ 인슐린이 분비되지 않아 이를 활용할 수 없는 것이 제2형 당
　뇨병이다.
⑤ 유전과는 상관이 없다.

혈당이 높아진 경우 인슐린이 분
비되어 포도당을 글리코겐 형태
로 저장하게 된다. 혈당이 낮아진
경우 글루카곤이 분비되어 간에
서 글리코겐을 분해하여 혈액 내
포도당의 이용을 증가시킨다. 제
1형 당뇨의 경우 췌장의 베타세
포가 파괴로 인해 인슐린 분비가
불가하여 인슐린 의존성 당뇨병
이라고도 하며, 제 2형 당뇨병은
인슐린은 분비하나 이를 활용할
수가 없어 인슐린 비의존성 당뇨
병이라 한다. 당뇨는 유전적 경향
을 보인다.

>>> ③

2022서울의료원 2021경상대

2 메니에르 증후군 환자 문진 결과로 올바르지 않은 것은?

① 흡연을 20년째 하고 있다.
② 자가면역질환이 있다.
③ 음식을 짜게 먹는 편이다.
④ 평소 과로 및 스트레스가 과다하다.
⑤ 디카페인 커피를 자주 마신다.

메니에르 증후군의 유발 인자로
는 흡연과 음주, 불면, 과로, 과
다한 스트레스 및 바이러스 감
염, 자가면역질환, 알러지, 고염
식 등이 있다.

>>> ⑤

3 다음 중 간염 환자에 대한 간호중재로 옳지 않은 것은?

① 저지방 식이

② 금주 교육

③ 규칙적으로 다량의 세 끼 식사를 섭취

④ 고탄수화물 식이

⑤ 아침에 영양이 더 많은 식사를 제공

간염환자는 저지방 고탄수화물 식이를 제공하며, 알코올 섭취는 절대 금한다. 식욕부진 오심으로 식사를 많이 먹지 못하므로 소량씩 자주 제공하며 낮에 식욕부진이 더 심해지기 때문에 아침에 영양이 많은 식사를 제공한다.

>>> ③

4 뇌졸중 환자 중 다음과 같은 증상을 보이는 환자에서 손상된 뇌영역으로 올바른 것은?

- 의미 없는 긴 문장을 말한다.
- 자신의 실수를 인식 못한다.
- 유창성 실어증이라고도 한다.

① 브로카 영역　　　　② 베르니케 영역

③ 뇌교　　　　④ 대뇌피질

⑤ 연수

브로카 영역의 뇌졸중은 말하고 쓰는 능력이 상실되는 표현성 실어증을 초래하고 비유창성 실어증이라고도 한다. 베르니케 영역을 침범한 뇌졸중은 언어나 활자로 된 문장을 이해하지 못하는 수용성 실어증을 초래한다.

>>> ②

2021 · 2020부산대 2021서울보라매

5 다음 중 심폐소생술에 관한 설명으로 옳지 않은 것은?

① 가슴압박과 인공호흡의 비율은 15:1 이다.

② 기본 순서는 가슴압박 → 기도개방 → 인공호흡 이다.

③ 가슴압박의 깊이는 5 ~ 6cm 정도 이다.

④ 성인의 맥박 확인은 경동맥이나 대퇴동맥을 10초 정도 확인한다.

⑤ 가슴압박의 속도는 분당 100 ~ 120회 정도가 적당하다.

심폐소생술 시 가슴압박과 인공호흡의 비율은 30:2로 시행하여야 한다.

》》》 ①

2021 · 2019충북대 2021서울시의료원

6 위 부분절제술 후 덤핑 증후군이 나타나는 것을 예방하기 위한 간호로 옳은 것은?

① 고지방, 고단백, 고탄수화물 식이를 섭취하도록 한다.

② 반좌위 자세로 식사하고, 식후 앉아 있도록 한다.

③ 수분 섭취는 식전 1시간에서 식후 2시간 동안 제한하도록 한다.

④ 음식물의 양을 늘리고 국물이 많은 음식을 먹도록 한다.

⑤ 수술 후에는 소화가 잘되는 유동식보단 바로 일반식이를 시작하는 것이 좋다.

덤핑 증후군을 예방하기 위해서 음식물의 양을 줄이고 고지방, 고단백, 저탄수화물 식이를 섭취하도록 한다.

② 반좌위 자세로 식사하고, 음식물이 빠르게 내려가는 것을 막기 위해 식후에는 누워 있는 것이 좋다.

④ 음식물의 양을 줄이고 국물이 많은 음식은 소화가 빠르게 되므로 피하도록 한다.

⑤ 위에 무리가 가지 않도록 유동식에서 연식, 일반식으로 가는 단계적인 식사를 하도록 한다.

》》》 ①

7 급성 골수성 백혈병 환자가 출혈 위험성이 높을 때 우선적으로 시행
해야 할 간호중재는?

① 4시간마다 활력징후를 측정한다.
② 1인실에 입원시킨다.
③ 방문객을 제한한다.
④ 골수조직검사를 시행한다.
⑤ 두려움을 말로 표현하도록 한다.

급성 골수성 백혈병 환자의 경우 출혈 위험성의 관련요인으로는 혈소판수의 감소와 출혈경향의 증가를 꼽을 수 있다. 이때 활력징후를 4시간 간격으로 측정하여 출혈 경향을 예의주시해야 하며 혈압하강의 경우 출혈 상태를 나타내므로 반드시 주의 깊게 살펴본다. 꼭 필요한 경우를 제외하고는 침습적인 행위를 제한하며 점상출혈, 자반, 대변 잠혈이 있는지 확인한다.

>>> ①

8 항결핵제를 복용하는 환자의 전염성이 소실되기 시작하는 시기는?

① 복용 후 즉시
② 복용 1주부터
③ 복용 2 ~ 3주 후
④ 복용 1 ~ 2개월 후
⑤ 복용 3 ~ 4개월 후

결핵의 경우 2주간 항결핵제의 복용으로 전염성이 거의 없어지므로 이때까지는 사람들과의 접촉을 피하는 것이 좋으며, 혹시 사람들과 불가피하게 접촉을 해야 하는 경우에는 환기가 잘 되는 곳이 좋다.

>>> ③

2021 한국보훈병원 2021 부산양산대

9 GERD의 악화 요인에 해당하지 않은 것은?

① 흡연

② 음주

③ 카페인 음료

④ 고지방 식이

⑤ 부교감신경 자극제

위식도 역류 장애는 식도하부 괄약근의 조임의 약화로 일어난다. 흡연, 음주, 카페인음료, 지방 식이, 매운 음식, 비만 등이 악화 요인이다.

⑤ 부교감신경 자극제의 복용은 식도하부 괄약근의 조임 능력을 증가시켜준다.

〉〉〉 ⑤

2020 부산대병원

10 수술실 환경의 멸균 상황에 대한 설명으로 옳은 것은?

① 손 소독 후 찢어진 장갑은 무방하다.

② 소독간호사는 멸균상황이며 순환간호사는 멸균상황이 아니다.

③ 수술 시 사용하지 않은 소독포는 멸균포에 다시 싸서 사용한다.

④ 멸균 뚜껑은 안쪽 면이 위를 향하게 들고, 아래를 향하게 놓는다.

⑤ 손 소독 후 손은 아래로 내려 물이 팔꿈치에서 손가락으로 흐르게 한다.

① 장갑이 찢어진 경우 멸균상황이 오염된 것이다.

③ 사용하지 않은 물품이라도 멸균에 의심이 가면 그 물품은 오염된 것으로 간주하고 사용하지 않는다.

④ 멸균 뚜껑을 들고 있을 경우 안쪽 면이 아래를 향하게 들고, 놓을 경우 위를 향하게 놓는다.

⑤ 손 소독 시 흐르는 물에 손가락 끝부터 팔꿈치 까지 헹구며, 손 소독 후 손은 항상 팔꿈치 보다 높게 들어 오염을 방지한다.

〉〉〉 ②

로니T의 암기 꿀팁 전수

🏷️ 아드레날린성 약물 편

아드레날린성 약물은 크게 작용제와 길항제로 나누어 볼 수 있어요.
작용제에는 카테콜아민과 비카테콜아민이 있는데요, 카테콜아민은 교감
신경 흥분, 심장 수축력 증가, 심박동수 증가 증상이 나타나고 비카테콜아
민은 혈관 수축, 비강과 눈 출혈, 세기관지 확장, 평활근 이완의 작용을 합
니다.

길항제에는 알파 차단제, 베타 차단제가 있어요!

알파 차단체는 혈관을 낮춰줘요. 고혈압과 말초혈관질환(레이노병), 말단
청색증, 혈관성 두통, 전립선비대 치료 등에 사용됩니다.

약물로는 Prazosin, Terazosin, Tamsulosin이 있습니다.

여기서 질문! 여러분들, 공통점을 발견하셨나요?

맞습니다.

zosin이 붙어요! 종종 약물마다 같은 패턴의 이름이 나오는 경우가 있어요.

지금처럼요!

그것만 주의 깊게 본다면 더 쉽게 외울 수 있겠죠?

이어서 베타 차단제는 심박동수, 심수축력, 말초혈관 저항 및 혈압 저하
증상이 있어요.

세기관지를 수축시키죠.

약물로는 Acebutolol, Atenolol, Metoprolol이 있습니다.

여기서 공통점은?

맞아요! 롤롤! lolol이 붙죠!

같은 패턴, 꼭 기억하도록 하자구요!

더 자세한 이야기는 네이버 카페 [비컴널스]에서 확인하세요.

PART
03

기타 간호학

아동간호학

출제빈도 ●●●●○ | 학습결과 ☺☺☹

학습
목표

1. 고위험 신생아의 간호중재를 설명할 수 있다.
2. 정신 기능 아동 및 발달 장애를 설명할 수 있다.

기출 키워드 | ☐ 미숙아 ☐ Apgar 점수 ☐ 행동 장애 ☐ DDST

1 고위험 신생아

(1) 정의

재태기간이나 출생 시 체중에 관계없이 출생과정이나 자궁 외 생활로의 적응 과정에서 발생되는 고위험 상태나 환경으로 인해 이환율과 사망률이 평균보다 높은 신생아를 뜻한다.

TIP 고위험 신생아 분류

구분	내용
재태연령에 따른 신생아 분류	• 미숙아(재태연령 37주 미만) • 만삭아(재태연령 37 ~ 42주) • 과숙아(재태연령 42주 이상)
체중에 따른 분류	• 저출생 체중아(출생 시 체중 2,500g 미만) • 극소 저출생 체중아(출생 시 체중 1,500g 미만) • 초극소 저출생 체중아(출생 시 체중이 1,000g 미만)
재태연령 – 체중에 따른 분류	• 부당 경량아(출생 시 체중이 자궁 내 성장곡선상 10 백분위수 미만) • 적정 체중아(체중이 자궁 내 성장곡선상 10 ~ 90 백분위수 사이) • 부당 중량아(출생 시 체중이 자궁 내 성장곡선상 90 백분위수 이상)

(2) 미숙아(Preterm Infants) ✓ 기출 '21

① 원인
- 산모 : 태반·자궁 이상, 산모질환, 미숙아 출산력, 다태임신
- 태아 : 염색체 이상, 선천성 기형, 다태아

필기 키워드

Ⓠ 재태연령 37주 이상, 42주 미만의 신생아는?
Ⓐ 만삭아

② 특징

구분	내용
외모	• 재태기간이 짧을수록 머리가 크다. • 피부는 피하지방이 적고 진피와 표피 사이 결합이 감소하여 쭈글쭈글하다. • 전신에 솜털이 많으며 극소저체중 출생아인 경우 솜털이 없다. • 태지는 거의 없고 손·발바닥에 주름이 적거나 없다.
호흡기계	• 계면활성제 생산 부족으로 호흡곤란 증후군이 발생하기도 한다. • 얕은 호흡이 짧게 반복되며 호기 시 그르렁거리는 소리가 난다.
위장관계	• 위 - 식도 역류가 발생한다. • 34주 이전의 미숙아의 경우 빨기반사, 연하반사가 부족하여 위관영양, 정맥영양이 필요하다. • 철분 저장이 매우 적다.
간·비뇨기계	• 고빌리루빈혈증을 초래한다. • 소변 농축 능력이 없어 탈수가 발생한다.
면역계	lgG와 lgA가 부족하다.

TIP 호흡곤란 증후군(RDS : Respiratory Distress Syndrome)

호흡기계의 미성숙으로 폐의 계면활성제 양이 부적절할 경우 발생한다. 빈 호흡이 주되며 흡기성 견축과 무호흡, 중심성 청색증과 흉부함몰을 보인다. 또 혈액 내 산소농도가 감소하며 혈액 내 이산화탄소는 증가한다. 이로 인해 대사성 산증과 호흡성 산증이 발생하기도 한다.

③ 간호중재

• 폐환기와 산소화를 원활히 하여 산소농도를 유지하는 데 중점을 두어야한다.
• 체온 조절 기능이 제한되어 저체온이 일어날 수 있다.
• 열 손실을 방지하고 중성온도 환경을 유지해야 한다.

TIP 중성온도 환경

영아가 최소한의 산소 소모량 및 열량 소비량을 가지고 정상 심부 온도를 유지하도록 하는 환경을 말한다.

(3) **과숙아**(Postterm Infants)

① 원인 : 확실하지 않으나 다산모, 당뇨병 산모일 경우 영향을 받는다.

② 특징

- 태지 감소와 태반 노화로 인해 피부가 쭈글쭈글하다.
- 피부가 창백하며 건조하고 갈라져 있다.
- 솜털이 없다.
- 사지가 길고 야윈 모습이다.
- 양수과소증과 태변 착색을 보인다.
- 영양 공급이 제한되어 영양실조의 위험이 크다.

③ 간호중재

- 저산소성 허혈성 뇌증과 태변 흡입, 부적절한 영양 체온 불안정을 예방한다.
- 미숙아 간호중재와 유사하다.

(4) **부당 경량아**(SGA : Small for Gestational Age)

① 원인 : 자궁 내 발육 지연으로 발생한다.

② 분류

구분	내용
비대칭적 부당 경량아	• 체구에 비해 상당히 머리가 큰 비대칭형으로 나타난다. • 마르고 쇠약하며 체중만 비정상이다. • 대표적인 원인으로는 임신 중독증, 고혈압, 당뇨병, 심장, 신장 질환이 있다.
대칭형 부당 경량아	• 머리둘레, 키, 체중이 모든 작은 대칭형을 뜻한다. • 출생 전 체중만 비정상적이며 성장이 멈추고 쇠약하지는 않다. • 대표적인 원인으로는 자궁 내 감염, 선천성 기형, 모체의 영양결핍 등이 있다.

③ 치료적 관리

- 저혈당을 중점적으로 관리해야 하며, 포도당의 공급이 부족하여 중추신경계 손상이 나타날 수 있다.
- 칼슘보유도가 낮은 편이므로 일찍 공급하여야 한다.
- 혈액의 점성이 증대됨에 따라 고빌리루빈혈증의 위험이 높아진다.

(5) **부당 중량아**(LGA : Large for Gestational Age)

① 원인 : 모체의 당뇨와 비만으로 발생한다.

② 치료적 관리

- 내재된 원인과 나타난 임상문제를 중점적으로 치료한다.
- 모체가 당뇨병이 있을 경우 신생아에게서 혈당과 칼슘치를 측정한다.

② 신생아 건강증진

(1) Apgar 점수 ✅기출 '21

① 정의 : 초기 건강사정 방법으로 생후 1분간 측정한 점수로 자궁 외 생활에 최초 적응하는 신생아의 능력을 사정하는 신속한 방법이다.

② 진단

- 출생 후 1분과 5분에 5가지 소견을 관찰하여 점수를 매긴다.

TIP Apgar Score 관찰 항목

피부색, 심박동수, 호흡노력, 근긴장도, 자극

- 생후 1분에 측정되는 점수는 소생술이 필요한지 여부를 결정하고 생후 5분에 측정되는 점수는 신생아 상태를 재평가 하게 되며 신생아가 안정될 때까지 반복된다.
- 0 ∼ 3점 이하는 심한 적응곤란을 뜻하며 소생술이 필요한 응급상황이다.
- 4 ∼ 6점은 중증도의 곤란상황(NICU)를 뜻하고 7 ∼ 10점은 정상을 뜻한다.

(2) 재태연령 측정

① 정의 : 미숙아 사정에서 중요한 방법으로 신생아의 성숙에 대한 지표이다.

② 진단

- 자궁 내에서 출생 시까지의 임신주수로 신체성숙도와 신경학적 성숙도를 측정하여 점수화한다.
- 출생 후 가능한 빨리 측정해야 하며, 신경학적 검사를 하는 동안에는 신생아는 깨어 있어야 한다.
- 정상에서 벗어난 결과가 측정되는 경우, 24시간 내에 재평가하여야 한다.
- 신체 성숙도 : 각 영역에서 미성숙 ∼ 성숙까지 1 ∼ 5점까지 척도를 재며 피부, 솜털, 발바닥 주름, 유방, 귀와 눈, 생식기 등의 신체적 특성을 측정한다.
- 신경근육 성숙도 : 미성숙에서 성숙까지 1 ∼ 5점으로 척도를 이용하여 신경근육의 성숙도점수를 계산한다. 합한 점수는 신경근육 성숙도의 지표가 되지만 생후 5일이 지나면 정확도가 떨어진다.

3 종양 아동 간호

(1) 백혈병 ⚪기출 '21

① 특징
- 치유할 수 있는 최초의 암으로 15세 이하 아동에게 호발한다.
- 진단 : 임상 증상, CBC 검사 결과로 의심하며 골수천자, 조직검사로 확진한다.

② 일반적 증상 : 발열, 창백함, 과도한 타박상, 림프절증, 비정상적 백혈구수, 권태감, 간 · 비장 비대, 뼈와 관절 통증, 빈혈, 혈소판 감소 자반증 등이 있다.

(2) 신경모세포종

① 특징
- 영아기에 흔하며 영아와 아동에게만 발견되는 특징을 가진다.
- 진단 : 흉부, 복부, 골반 부위의 CT, 결격 섬광조영, 흉부 방사선검사 실시한다.

② 일반적 증상 : 복부덩어리, 돌출되고 단단한 복부, 다리절뚝임, 통증 등이 있다.

(3) 뇌종양

① 특징
- 고형 종양으로 아동에게 나타나는 악성 종양 중 세 번째로 많으며 원인은 알려져 있지 않으나 유전, 환경의 영향을 받는다.
- 위험 요인 : 신경섬유종증, 결절성경화증 등이 있다.

② 일반적 증상 : 운동실조증, 상지조정의 서투름, 안구진탕증, 복시, 사시, 머리 기울이는 사경 등이 있다.

(4) 소아암

① 외형적 징후 : 체중 감소, 창백, 자반, 덩어리, 눈의 백색반사, 재발되거나 지속적 발열, 이른 아침 구토 등이 있다.

② 잠복한 징후 : 두통, 지속되는 림프절종, 균형 · 걸음걸이, 성격의 변화, 피로, 권태감, 뼈의 통증 등이 있다.

❹ 정신 기능 아동

(1) 정서 장애 ✅기출 '21

① 불안 장애
- 사회적 불안 장애 : 가장 흔하며, 아동기, 초기 청소년기에 호발한다.
- 분리불안 : 주요 양육자에게서 분리되었을 때 발생하는 병적 불안이다.
- 공황장애 : 아동의 기질적 원인을 살피어 과혈당, 측두엽 간질, 심한 카페인 섭취 등의 여부를 확인하여야 한다.
- 외상 후 스트레스 장애 : 세 가지 주요 증상군으로 침투적, 각성적, 회피적 증상을 가진다.
- 강박 장애 : 주로 불안과 스트레스 상황 속에서 강박적 사고와 행동이 일시적으로 나타난다.

② 기분 장애
- 주요 우울 장애 : 유전적, 가족적, 일상적, 신체, 심리적 외상 등에 의해 지속적으로 나타나며 개인별 차이가 난다.
- 기분 부전 장애 : 만성적으로 저조한 기분이 지속된다.
- 적응 장애 : 외상, 스트레스 요인에 대한 부정적 반응이며 전체적인 증상은 적으나 자기제어 과정이 있다
- 양극성 장애 : 초기 성인기, 후기 청소년기에 발생하며 변동이 심한 기분장애가 특징이다.

> **필기 키워드**
>
> **Ⓠ 주의력 결핍 장애 아동의 특징은?**
>
> **Ⓐ** 경청하지 못하고 집중 장애를 겪는다. 부주의하며 세부사항의 무관심, 조직력의 부재, 집중이 필요한 상황을 회피하고 주의가 쉽게 분산된다. 건망증을 보인다.

③ 정서 장애 : 신체적 통증, 두려움, 슬픔, 걱정 등을 포함한다. 기분 장애, 불안 장애를 포괄하여 정서 장애의 임상증상에서 나타나고 있다.

(2) 행동 장애 ✅기출 '21

① 주의력 결핍 장애(AD : Attention Deficit)
- 경청하지 못하거나 과제나 게임에 집중 장애를 겪는다.
- 부주의하며 세부사항의 무관심, 조직력의 부재, 집중이 필요한 과제 회피, 주의가 쉽게 분산되고 건망증 등을 보인다.

② 충동성 · 과잉행동 장애(HD : Hyperactivity Disorder)
- 한자리에 가만히 있지 못하며 조용한 활동을 하지 못하고 항상 움직인다.
- 말을 과도하게 많이 하며 질문이나 대답을 불쑥 한다.
- 자신의 차례를 기다리지 못하는 등의 행동을 보인다.

TIP 주의력 결핍 과다행동장애(ADHD : Attention Deficit/Hyperactivity Disorder)

주의력 결핍 장애와 충동성·과잉행동 장애가 결합된 증상이다. 자극에 대한 부진, 저반응적 성격을 보이며 전전두엽(Prefrontla), 대뇌변연계의 연계부분의 신경학적 이상일 가능성이 높다고 알려져 있다. ADHD는 약물치료가 효과적인데, 주로 Dextroamphetamine(Dexedrine), Methylphenidate(Ritalin), Pemoline(Cylert)와 같은 중추신경자극제를 사용한다.

5 발달 장애

(1) 정의

① 지적 손상 : 지적능력과 기능적 능력에서의 의미 있는 한계를 나타내며 손상된 지능(IQ), 적응행동에서 나타난다.

② 정신지체 : 전반적인 지적 기능이 평균 이하인 경우의 사람을 말하는 용어인 정신지체(MR)에서 지적손상으로 용어가 변하였다.

③ 전반적 발달장애 : 장애에 있어서 원인, 수준, 유형 등이 매우 광범위하게 나타나 경증 ~ 중증까지 나타내므로 스펙트럼 장애라고 명하기도 한다.

(2) 원인

환경·선천적 요인들로 인하여 주로 유전적 돌연변이, 모체의 물질 남용, 산전 환경, 초기 아동기의 자극 결여 등의 원인이나, 절반 이상은 정확한 원인에 대해 파악 불가이다.

(3) 증상

① 발달상의 성취가 일반 기준에 비해 지연되어 나타난다.

② 특수한 선천성 기형은 임상증상에서도 특수한 결과로 나타나며, 중증도와 관련하여 문제 행동의 유형, 빈도에 영향을 끼친다.

③ 지적 장애 아동의 경우 신체가 건강하다 해도 관련 장애로 인하여 질병 발생 위험이 높게 나타나는데, 지적 장애 아동에게 뇌성마비가 있다면 흡인성 폐렴, 위식도 역류 등의 위험이 더 높게 나타난다.

(4) 치료적 관리

① 일반적으로 지역사회, 학교자원 등 부모와 전문가 모두 강력한 지지로 치료에 임하게 된다.

② 환경적인 부분에 있어서 또래 아동에 비해 손상의 위험이 높게 나타나므로 위험에 대한 보호기 필요하다.

⑥ 덴버 발달선별검사(DDST : Denver Developmental Screening Test)

(1) 사정 항목

사정 영역	문항수	내용
전체 운동	27	큰 근육 운동
언어	34	듣고 이해하고 사용하는 능력
미세 운동 – 적응	27	눈과 손의 협응, 물체조작 및 문제 해결능력
개인 – 사회성	2	일상생활에 필요한 상호작용 및 자가간호 수행능력

(2) 점수

① 검사 표시법

구분	내용
지연	연령선에서 완전히 왼쪽 항목으로 실패를 뜻하며 지연된 항목의 경우 오른쪽을 짙게 칠하여 표시한다.
실패	지침대로의 시행을 아동이 시행하지 못한 경우 F로 표기한다.
기회 없음	아동이 한 번도 시도해본 경험이 없는 경우 NO로 표시한다.
거절	아동이 할 수 있음에도 불구하고 시행하기를 거절하면 R로 표시한다.
주의	연령선 통과 75 ~ 90% 사이에서 실패하거나 거부하는 경우 해당한다.
월등	연령선 오른쪽 항목을 완벽하게 통과한 경우를 뜻한다.
정상	연령선이 오른쪽 항목 25 ~ 75% 사이에서 있을 때 각 항목을 통과, 실패, 거절한 경우 정상으로 간주한다.

② 검사 결과 해설

구분	내용
정상 발달	지연항목이 없으며 주의항목이 최대 한 개를 초과하지 않는 경우를 뜻한다.
의심스런 발달	한 개의 지연항목이 존재하고 2개 혹은 2개 이상의 주의항목이 있을 경우를 뜻한다.
검사 불능	연령선 완전 왼쪽에 있는 항목에서 한 개 이상의 거부나 75 ~ 90% 사이에 연령선이 지나는 항목에서 2개 이상의 거부가 있는 경우를 뜻한다.

> **CHECK** 실제 면접장에서 이렇게 물어본다 !
>
> ✳ **예상질문** 류마티스열로 아스피린을 복용 중인 환아에게 나타날 수 있는 증상은 무엇인지 말해보시오.
>
> ✳ **예상질문** 신생아의 상태 파악을 위한 Apgar 점수 측정 시 관찰 항목 다섯 가지를 대해 말해보시오.

여성건강간호학

출제빈도 ●●●●○ | 학습결과 ☺☺☹

학습
목표

1. 월경·완경 간호를 설명할 수 있다.
2. 임신기·분만기 여성 간호를 설명할 수 있다.

기출 키워드 | □ 월경 전 증후군 □ 질염 □ 산전 선별검사 □ 고위험 분만

---

1 월경 간호

(1) 무월경 ✔기출 '21

① 원발성 무월경(Primary Amenorrhea)
- 정의 : 이차성징 발현이 없으며 13세까지 초경이 없는 경우를 말하거나 이차성징은 있으나 15세까지 초경이 없는 경우를 말한다.
- 특징 : 선천적인 요인이 대부분이며 태생기의 뮐러관의 발육부전에서 오는 순수 생식샘 발생 부전이나 뮐러관 발달이상에 의한 기형이다.

② 속발성 무월경(Secondary Amenorrhea)
- 정의 : 과거 월경이 있었던 여성이 6개월 이상 무월경이거나 이전의 월경주기 3배 이상 월경이 없는 경우를 뜻한다.
- 특징 : 상하부－뇌하수체 단위의 결함, 조기 완경, 만성 무배란 증후군 등의 원인이기도 하다.

(2) 비정상 자궁 출혈

① 과다 월경
- 정의 : 월경이 7 ～ 8일 정도 지속되며 80 ～ 100㎖ 이상의 다량 실혈이 일어나는 것을 말한다.
- 특징 : 건강한 여성 15 ～ 20% 정도에게 발발한다. 보통 자궁내막에 대한 호르몬의 부적절한 자극, 기질적 병소로 인하며 비만은 일차적으로 무배란, 이차적으로 과다 월경을 발생시킨다.

② 과소 월경
- 정의 : 월경 기간이 1 ～ 2일 경우로 짧거나 양이 적은 경우를 말한다. 월경 주기가 17 ～ 20일 정도로 짧으면 무배란을 의미하기도 한다.
- 특징 : 30세 이하의 젊은 여성은 발생 시 난임과 자궁내막암의 위험이 증가한다. 내분비 기능 장애가 있으며 경구 피임약 복용, 자궁경부 협착, 심한 체중 감소, 단백질 결핍 등의 관련이 있다.

③ 부정 자궁 출혈

- 정의 : 월경 기간이 아님에도 점상이나 다량의 비정
  상적 자궁출혈이 일어나는 것을 말한다.
- 특징 : 여성의 25% 정도가 부정 자궁 출혈로 보고된
  다. 보통 생식기의 기질적 병소, 혈중 에스트로겐
  농도 저하, 만성 경관염으로 인해 자궁경부의 미란
  이 있을 때 발생하며, 자궁 외 임신, 분만 후 태반
  조각의 잔여 등이 원인이 되기도 한다.

④ 기능성 자궁 출혈

- 정의 : 자궁의 기질적 병변과 관계없이 내분비 장애로 자궁내막 주기 변화가 발생하는 경우
  를 말하며 비정상 자궁출혈이다.
- 특징 : 무배란성 자궁출혈의 90%를 차지하며 초경 직후, 완경 전기에 발생한다. 주로 시상하
  부 − 뇌하수체 − 난소축의 장애, 내인성·외인성 스테로이드 호르몬 영향, 각종 만성 질환,
  영양장애, 스트레스 등의 요인들로 발생한다.

> **필기 키워드**
>
> **Q** 원발성 무월경이란 무엇인가?
>
> **A** 원발성 무월경은 이차성징 발현이 없고
> 14세까지 초경이 없는 경우, 혹은 이차성
> 징은 있으나 15세까지 초경이 없는 경우
> 를 말한다.

(3) 월경 전 증후군(PMS : premenstrual syndrome)

① 정의 : 월경 관련 정서 장애를 말하며 월경 2 ~ 10일 전에 나타났다가 월경 시작 직전, 직후
  에 소멸된다.

② 특징

- 반복적이고 주기적이며 월경 전 긴장증, 월경 전 긴장 증후군이라고도 한다.
- 신체적으로는 유방팽만감, 통증, 골반통, 체중 증가, 배변 장애, 가스팽만 등이 있으며 정서적
  으로는 집중력 장애, 불안, 우울, 기면, 정서적 불안정, 식욕 변화, 성욕 감퇴 등이 나타난다.

(4) 월경곤란증(Dysmenorrhea)

① 원발성 월경곤란증(Primary Dysmenorrhea)

구분	내용
정의	통증 동반의 월경이며 골반의 기질적 병변이 없는 경우를 말한다.
원인	• 월경 전 프로게스테론 감소로 자궁내막의 아라키돈산 분비, 사이클로옥시나아제 활성 증가의 원인이 되어 자궁내막의 프로스타글란딘 생성이 증가된다. • 자궁근 수축과 혈류량이 감소되고 허혈성 월경통의 주된 원인이 된다.
특징	• 배란주기에 발생하며 초경 시작 후 6 ~ 12개월 이내에 나타나고 월경 시작 전 수시간 내에 통증이 발생, 1 ~ 2일의 지속 기간을 가지고 72시간 내에 사라진다. • 속발성 월경통보다 이른 나이에 시작되며 길게는 40대까지 지속되기도 한다. 치골 위나 아랫배에 주로 통증이 발생하고 날카롭고, 경련, 움켜쥐는듯한 통증이 둔하게 나타난다.

② 속발성 월경곤란증(Secondary Dysmenorrhea)

구분	내용
정의	기질적 병변을 동반한 경우를 말한다.
원인	선천성 기형, 경관 협착, 기질적 골반 내 질환, 자궁근종, 자궁내막용종, 자궁내막증, 자궁선근종, 만성 골반염증성 질환 등의 골반 내 울혈이 초래되어 발생한다.
특징	• 대부분 무배란성 월경 주기 여성의 초경 2년가량 후에 발생한다. • 연령대는 다양하며 월경 시작 1 ~ 2주 전에 발생한다. • 월경이 끝나고 며칠 동안 통증 지속된다.

② 완경 간호

(1) 정의

① 난소의 기능 상실로 에스트로겐 분비가 없고 임신을 못하는 상태를 말한다.

TIP 갱년기

　　완경을 전후하여 40 ~ 60세 사이를 말한다.

② 노년기로 가는 과도기를 의미하며 생리적 완경은 50세 전후에 발생한다. 완경기, 갱년기, 중년기 등의 동의어로 사용하게 된다.

TIP 폐경이라는 말은 다소 부정적인 어감으로 완경으로 순화하는 추세이다.

(2) 완경의 이행 과정

① 정의 : 난소 기능 쇠퇴로 인하여 뇌하수체 – 난소 – 자궁내막 주기 변화와 더불어 월경이 사라지기까지의 과정을 뜻한다. 완경 이행기는 여성 40세 전후로 난소 기능의 쇠퇴의 시작을 말하고 주완경기는 완경 기점으로 몇 년 동안의 난소 기능 저하, 에스트로겐 결핍으로 인한 월경 불순과 기타 완경 증상 동반을 의미한다.

> **필기 키워드**
>
> ❶ 속발성 월경곤란증 특징은?
> ❷ 태부분 무배란성 월경 주기 여성의 초경 2년가량 후에 발생하며 연령대는 다양하다. 월경 시작 1 ~ 2주 전에 발생하며 월경이 끝나고도 며칠 동안은 통증이 지속된다.향을 받는다.

② 생식생리의 변화 ✅기출 20

구분	내용
완경 전기	• 완경의 약 10년 전부터 난소 크기, 무게가 감소하고 난포 수가 감소한다. • 에스트로겐과 Inhibin 분비가 감소하며 FSH 혈중 농도는 증가한다. • 난포기가 짧아지고 월경 주기가 23 ~ 25일로 단축된다. • 에스트로겐의 경우 혈중 농도는 월경 중기, 후기에는 낮지만 황체 기능은 대부분 유지하며 LH 농도는 변화가 없다.
주 완경기	• 난포기에 FSH 농도가 24mIU/㎖ 이상 증가하고 21일 이하 짧은 월경 주기와 45일 이상 긴월경 주기가 나타난다. • 배란이 중단 혹은 불규칙해지며 무배란성 월경이 나타나기도 한다. • 안면홍조, 유방통이 나타난다. • 난포기가 연장되고 불규칙한 생식생리로 임신 가능성이 있다.
완경 후기	배란 중단과 LH분비 증가가 나타나고 최종 월경 후 1년 동안 월경이 없으면 완경으로 본다.

TIP 완경 후 성호르몬 분비

에스트로겐의 경우 혈중 농도가 완경 전 40 ~ 300pg/㎖에서 10 ~ 25pg/㎖ 이하로 수치가 감소하고 이후 에스트론으로 전환된다. 혈중 농도는 30 ~ 70pg/㎖이고 에스트라디올의 2~4배 정도의 수치로 나타난다.

❸ 생식기 감염

(1) 외음부 감염

① 바르톨린샘염

• 원인 : 임균이 가장 흔하며 화농균, 대장균, 질 크리코모나스에 의한다.

• 특징 : 바르톨린샘의 비대와 부종, 압통이 생기며 화농성 삼출액이 나오고 피부가 발적된다.

• 치료 : 통증 감소를 위해 냉온요법이나 좌욕을 실시하고 필요시 진통제를 투여하며 항생제 치료를 민감성검사, 균배양의 결과에 따라 시행하게 된다.

② 외음부 염증성 질환

구분	내용
원인	질 분비물, 월경, 소변 등의 자극으로 발생한다.
특징	• 습하고 항문 근접성으로 인해 세균번식이 쉬우며 당뇨병, 피부질환 같은 질병으로도 발생 위험이 높다. • 소양증을 동반하며 부종, 발적, 통증, 작열감 등으로 나타난다.
치료	• 감염 예방을 위해 청결과 건조를 유지하는 것으로 꽉 끼는 옷을 금지하고 통풍이 잘되는 속옷을 착용한다. • 증상완화에 좌욕, 냉요법을 시행한다. • 세균감염 때는 항생제를 투여하고 소양증은 항히스타민제, 하이드로코티손을 사용한다.

(2) **질염**

① 트리코모나스 질염(Trichomonas Vaginitis)

구분	내용
원인	단세포 트리코모나스 원충류에 의해 발생하는 여성 질염이다.
특징	• 가장 흔하며 재발률이 높다. • 성교를 통한 전파가 많다. • 외음부와 질점막 부종, 홍반이 관찰된다. • 녹황색의 기포가 발생하고 다량의 악취 나는 점액성 농성 분비물을 가진다. • 심한 통증, 작열감, 소양감, 성교통이 발생한다.
치료	1차 약제로는 Metronidazole이며 사용하지 못하는 경우(임부)는 증상 완화를 위한 약물 Clotrimazol(Povidone Iodine)을 사용한다.

② 칸디다성 질염(Candida Vaginitis, Monilia Vaginitis)

구분	내용
원인	당뇨병, 임신, 완경기 이후, 스테로이드 요법, 장기간 항생제 사용 등이 있다.
특징	• 진균성 질염, 모닐리아성 질염으로도 불린다. • 분만 시 신생아 감염 위험이 있고 이때 아구창이 발생할 수 있다. • 진한 흰색 크림타입 냉대하증이 나타나며 자궁경부와 질벽에 노란치즈 반점이 달라붙고 이를 제거하면 출혈이 발생하기도 한다. 외음부 소양증, 발적, 부종, 작열감, 배뇨곤란, 빈뇨, 성교통 등이 나타난다.
치료	항진균제(Fluconazole, Butconazole, Clotrimazole, Miconazole, Tioconazole, Terconazole 등)를 사용한다.

③ 비특이성 질염(Bacterial Vaginosis)

구분	내용
원인	질의 정상세균총의 파괴로 발생하는 질염을 말한다.
특징	• 정상세균총인 Prevotell, Gardverella, Mobiluncus 등의 증가, Lactobacillus의 감소로 발생할 수 있다. • 질 분비물이 증가하며 회백색이 묽게 나타나고 생선 비린내의 악취가 난다 • 샤워, 성교 후, 월경 중에 악취가 특히 발생한다. • 소양증, 성교통이 있을 수 있고, 때로 무증상으로 나타나기도 한다.
치료	• 직접 검경법을 통해 확인할 수 있으며 치료의 경우 약물인 Metronidazole을 투여하여 사용한다. • 광범위 항생제는 장기간 사용하지 않는다.

(3) 골반염증성 질환(PID : Pelvic Inflammatory Disease)

① 원인

• 성매개의 전파의 경우 : 자궁경부에 집락을 이루는 임균, 클라미디아균, 마이코플라즈마균이 점막을 따라 난소, 복막,자궁 주위, 난관 등에 상행성으로 전파된다. 주로 성매개 감염이다.

• 성매개가 아닌 경우 : 화농성균에 의한 자궁경부염, 자궁내막염이 혈관이나 림프관에 의해 이동하며 감염된다.

② 종류

• 급성 골반염증성 질환 : 자궁내막염, 난관염, 난소주위염, 골반복막염

• 만성 골반염증성 질환 : 급성 염증이 반복적 재감염되며 악화된 상태로 발생하는 것을 말한다.

③ 증상

구분	내용
급성	• 하복부 통증, 내진 시 경부 움직임으로 인한 통증, 자궁이나 자궁부속기의 압통과 근육경직이 있다. • 심한 월경통, 악취 농성 질 분비물, 고열, 오한, 빈맥 등을 동반한다.
만성	• 경한 발열, 백혈구 증가증, 적혈구 침강속도 증가 등이 나타난다. • 합병증으로 난관폐쇄, 골반농양, 난관-난소농양, 난임 등이 있다.

④ 생식기 구조이상 간호

(1) 생식기 기형

① 외생식기 기형

- 음순유합 : 대음순, 소음순이 만나 남선 회음부처럼 중앙봉선처럼 보이는 것을 말하며 선천성 기형은 아니다.
- 처녀막 폐쇄증 : 태생기 때 질이 출아하는 장소의 관강이 발달하지 못하여 발생한다.

② 내생식 기형

- 질의 기형 : 무형성증(Vaginal Agenesis), 세로질 중격(Logitudinal Vaginal Septum), 가로질 중격(Transverse Vaginal Septum)이 있다.
- 자궁과 난관의 기형 : 태생기 뮐러관의 무발육 뮐러관의 수직융합 후 발육이상 등으로 분류된다.
- 난소의 기형 : 난소의 발육부전, 과잉난소 및 부속난소, 일측 난관 결여 및 동측난소결여로 나타난다.

(2) 자궁의 위치이상

① 자궁의 전방전위 : 심한 전굴은 자궁경부축, 자궁체부축과의 관계에서 정상보다 앞으로 더 기울어 진 것을 말하며 생식기 발육부전으로 인한 원인이다.

② 자궁의 후방전위 : 자궁체부의 장축이 정상보다 뒤쪽으로 가있는 경우를 말한다. 기울기에 따라 세 가지로 구분할 수 있다.

> **TIP** 자궁의 후방전위 구분
> - 후경(Retroversion) : 자궁이 횡축에서 뒤쪽으로 기울어진 것을 말한다.
> - 후퇴(Retrocession) : 자궁 전체가 천골쪽으로 처진 것을 말한다.
> - 후굴(Retroflexion) : 자궁경부는 그대로고 체부만 뒤쪽으로 구부러진 것을 말한다.

(3) 골반 장기 탈출

① 원인

- 골반기저층의 과다신전으로 인해 근육 이완, 탄력조직 손상으로 골반장기들의 지탱하는 힘이 약해져서 골반장기 탈출이 발생한다.
- 선천적으로 약한 경우와 내·외적 손상에 의한 후천적(분만)으로 나눈다.

② 종류 : 방광류, 요도류, 직장류, 탈장, 자궁탈출증이 있다.

③ 외과적 치료법 : 전질벽협축술, 후질벽협축술, 후질벽협축 회음봉합술, 질식자궁절제술, 맨체스터 수술, 자공고정술, 질폐쇄술, 질절세술이 있다.

⑤ 임신기 여성

(1) 산전 선별 검사 및 진단 검사

① 유전질환의 산전 선별 검사

구분	내용
임신 1기 선별 검사	• 임신 ~ 13주 사이에 이루어지며 임부의 혈액검사이다. • 임신성 혈청 단백질-A(PAPP-A)와 hCG의 수치를 보고, 초음파 검사로 목덜미 투명대 두께를 측정한다. • 다운 증후군, 이수성 질환, 심장, 복벽 이상, 골격계 이상 가능성을 선별할 수 있다.
임신 2기 선별 검사	• 임신 ~ 22주 사이에 시행되는 검사한다. • 'quad'또는 'quardruple(사중표지)'물질검사를 시행한다. • AFP, hCG, uE3(estriol), inhibin A 4가지 물질의 혈중 수치로 다운증후군(+21), 에드워드증후군(+18), 신경관결손(NTDs) 가능성을 선별한다. • AFP, hCG, uE3(estriol) 3가지를 묶어 triple(삼중표지)선별 검사라고 한다. • AFP가 높은 경우는 신경관결손, 무뇌증, 제대탈출증, 위벽파열 등을 나타내며 AFP 수치가 낮으면 다운증후군의 가능성을 의미한다.
임신 1 · 2기 합동 선별 검사	• 임신 1기, 2기 검사를 종합하여 해석하는 것이다. • 2기 검사결과가 나올 때까지 기다려야 한다.

② 산전 진단 검사 : 양수검사, 융모막융모생검, 초음파 등이 있다.

(2) 고위험 임신 간호

① 임신 중 출혈성 합병증
- 임신 전반기 출혈성 합병증 : 유산, 경관 무력증, 인공임신중절, 자궁 외 임신, 포상기태
- 임신 후반기 출혈성 합병증 : 전치태반, 태반 조기박리

② 임신 관련 질환
- 임신성 고혈압(PIH : Pregnancy induced Hypertension) : 유전학적으로 전자간증 과거력이 있는 경우와 전신홍반성낭창, 35세 이상, 사산과거력, 만성신질환, BMI 30 이상 비만, 다태임신 등의 과거력을 가진 임부에게 더 호발한다.
- 임신성 당뇨병(Diabetes Mellitus) : 임신 시 나타나는 합병증 중 하나로 인슐린의 분비 부족으로 단백질, 탄수화물, 지방대사 이상이 발생하게 되는 병을 말한다.
- 임신오조증 : 임신 중 지속적으로 나타나는 오심과 구토를 말하며 이로 인한 체중 감소, 케톤증, 탈수, 염산소실로 인한 알칼리증, 저칼륨증의 중한 상태이다.

❻ 분만기 여성

(1) 정상 분만

① 분만의 5요소 : 분만 과정의 영향을 주는 요소로, 태아와 부속물(Passenger), 산도(Passage),
만출력(Power), 자세(Position), 산부의 심리적 반응(Psychologic Response)이 있다.

② 분만의 단계 ✔️**기출** '21 '20

구분	내용
분만 1기 (개대기)	• 잠재기, 활동기, 이행기로 구분하는데 잠재기의 경우 규칙적 자궁수축을 동반하고 초산부는 8.6 ~ 20시간이며, 경산부는 5.3 ~ 14시간 정도 소요된다. • 활동기의 경우 통증을 동반한 불안의 증가로 이어진다. 자궁경부가 열리며 4 ~ 7㎝ 개대되고 태아의 하강이 이루어진다. • 이행기는 자궁경부가 8 ~ 10㎝ 개대되고 속도는 활동기보다는 느려지나 태아 하강은 빨라진다.
분만 2기 (태아만출기)	• 경부의 완전 개대와 태아 만출이 이루어지는 시기이며 초산부는 50분~1시간, 경산부는 15분 ~ 30분이 소요된다. • 회음부가 불룩해지는 팽륜 현상이 일어나고 자궁수축 시 아두가 보였다가 안 보이는 배림 현상과 자궁 수축 없이도 노출되어있는 발로 상태도 보이게 된다. • 발로 시에 회음절개술을 실시하며 아두, 어깨, 몸체 순으로 만출이 진행된다.
분만 3기 (태반만출기)	• 태아 만출 이후 태반의 만출 시기를 말하며 태반 탈락막의 분리, 기타 부속물 배출시기를 포함한다. • 태반박리기에는 태아 만출후 자궁수축이 멈췄다가 다시 시작되며 5분 이내에 이루어진다. • 태반만출기에는 박리 후 10분 이내에 이루어지며 Schultze 기전과 Duncan 기전에 의해 이뤄진다.
분만 4기 (회복기)	• 태반 만출 후 1 ~ 4시간을 말하며 모체가 생리적으로 재적응의 시기를 갖는 것을 말한다. • 자궁은 수축상태로 복부 중앙에 위치하고 자궁저부는 치골결합과 제와부 중간에 위치하며 자궁경부는 단단해진다.

(2) 고위험 분만

① 종류
- 난산 : 만출력 이상, 태향 · 태세 및 태아 발육 이상
- 조산
- 과숙아 분만

② 관련 합병증
- 조기파막 : 만삭 조기파막, 만삭 전 조기파막
- 제대탈출
- 태반 이상 : 전치태반, 태반조기박리, 유착태반 등
- 자궁파열
- 자궁내번증
- 혈종
- 양수색전증
- 폐색전증

┌─ CHECK 실제 면접장에서 이렇게 물어본다 ! ●
│
│ ＊ 2018 | 부산백병원 분만 후 환자가 병실로 돌아왔을 때 해야 할 간호는 무엇인지 말해보시오.
│
│ ＊ 2015 | 경북대 고혈압 산모 간호 중재를 말해보시오.
└─

정신간호학

출제빈도 ●●●○○ | 학습결과 ☺☺☹

학습
목표

1. 정신질환에 대해 설명할 수 있다.
2. 조현병 스펙트럼 장애에 대해 설명할 수 있다.

기출 키워드 | ☐ 조현병 ☐ 양극성 장애 ☐ 공황장애

① 정신질환

(1) 이상행동 증상

① 양성 증상 : 대표 증상으로는 망상, 와해된 언어, 환각, 기이한 행동 등이 있다.

② 음성 증상 : 대표 증상으로는 얼굴표정변화 없음, 주변에 흥미 없음, 대인관계 무관심 등이 있으며 약물치료만으로 힘들고 재활치료, 활동치료가 병행된다.

(2) 이상행동 분류

① 행동 장애

- 과다활동 : 증가된 내적 욕구를 활동에 지나치게 표현하는 것이며 정신운동성 항진, 흥분상태 라고도 한다.

- 과소활동 : 행동의 빈도, 강도가 모두 저하된 것을 말하며 정신운동성 감퇴, 지체라고 한다. 주로 우울장애, 조현병 등에서 긴장증 동반으로 나타난다.

- 반복행동 : 같은 행동을 반복하는 것을 말한다.

- 거부증 : 타인의 요구와 정반대로 행동하거나 저항의 표시로 반응하지 않는 것이며 함구증, 거식증 등을 포함한다.

- 강박행동 : 쓸데없거나 불합리 하다는 것을 알면서 같은 행동을 반복하는 것이며 강박사고와 동반된다.

② 사고장애

구분	분류
사고형태의 장애	• 자폐적 사고 : 외부 현실을 무시하며 외부와의 적절한 관련성 없이 내적세계에 집착하며 자기논리에 빠지는 비현실적 사고를 말한다. • 마술적 사고 : 원인, 결과에 대한 현실적 이해 부족으로 주로 어린이의 강박장애, 심한 조현병에게 보인다. • 1차 사고과정 : 사고가 무의식적인 경향의 작용으로 질서, 논리성의 결여로 비조직적, 비논리적, 비현실적, 마술적일 때 사용된다. • 구체적 사고 : 은유를 사용하지 못하고 그 의미를 알아차리지 못하는 문자적, 1차원적 사고이며 추상적 사고와 반대된다. • 신어조작증 : 자신만이 아는 의미의 새로운 단어, 표현으로 조현병에서 주로 보인다.
사고과정의 장애	• 사고의 비약 : 연상 작용이 지나치게 빨라 대상자의 생각, 대화가 주제변경이 빠르게 진행되는 현상이다. • 사고의 우회증과 이탈 : 사고 진행 동안 사고의 주류, 비주류를 구분하지 못한다. • 사고의 지연 : 사고 과정의 연상속도가 매우 느려지고 사고가 원활하지 못한 현상이며, 우울장애, 조현병에서 나타난다. • 사고의 두절과 박탈 : 사고의 흐름이 갑자기 중단되는 현상이며, 심한 경우 처음부터 생각이 떠오르지 않는 사고의 박탈을 경험한다. • 사고 연상의 이완 : 전혀 관련 없는, 관련이 적은 상황으로 연상되는 엉성한 사고를 말한다. • 사고의 지리멸렬 : 말이 연결되지 않으며 일관성, 조리가 없고 줄거리, 내용을 파악할 수 없는 현상이다. 말비빔은 지리멸렬의 극심한 형태이다. • 사고의 부적절성 : 질문 내용과 전혀 상관없는 동문서답의 대답을 하며 조현병, 뇌의 기질적인 문제로 나타난다. • 보속증 : 새로운 자극이 주어지고 사고를 진행시키려고 노력하지만, 진행되지 않고 머무는 현상이다.
사고내용의 장애	• 피해망상 : 조현병에 가장 흔하게 나타나며 누군가 자신, 가족을 해치거나 감시한다고 생각한다. • 과대망상 : 자신의 힘, 능력, 권력, 부, 우월성, 위대성, 중요성 등의 측면에서 현실과 떨어져 과장해서 믿고 있는 망상이다. • 관계망상 : 주위에서 일어나는 일상적 일, 객관적 사실 모두 자기와 관련이 있다고 믿는 망상이다. • 신체망상 : 얼굴의 용모, 코, 입, 턱, 치아, 머리, 손, 발 등 자신의 신체 일부가 정상과 달리 기형적으로 여기거나 썩고 있다고 믿는다. • 색정망상 : 망상장애, 조현병에 흔히 보이며 모든 이성이 자신을 사랑한다 믿거나 반대로 자신은 모든 이성을 사랑해야 한다고 믿는 경우이다. • 우울 망상 : 빈곤 망상, 죄책 망상, 허무 망상, 질병 망상 등이 포함되며 심각한 우울장애, 조현병에서 보인다. • 종교망상 : 자신이 메시아, 전지전능한 신이라고 주장하거나 악마가 씌웠다거나 용서받을 수 없는 죄를 지었다는 등의 종교적인 내용의 망상이다.

PART 03 기타간호학

❷ 조현병 스펙트럼 장애

① 조현병 : 핵심 증상인 환각, 망상 와해된 언어, 극도로 와해되거나 긴장된 행동, 음성증상 중 2개 이상이 1개월 동안 지속되며 이중 망상, 환각, 와해된 언어는 반드시 하나라도 나타나야 한다. 이러한 징후가 최소 6개월 이상 지속되어야 조현병으로 진단한다.

② 기타 조현병 스펙트럼 장애

구분	내용
망상장애	중요한 정신 장애로 1가지 이상의 망상이 최소 1개월 이상 지속될 때 진단된다.
단기 정신병적 장애	정신병적 증상이 최소 1일 이상 1개월 이내인 경우이며 임상에서 흔치않다.
조현 양상 장애	조현병 증상이 발현하지만 총 발병 기간이 6개월 이하인 경우이며 단기 정신병적 장애와 조현병 중간에 위치한다.
조현 정동 장애	조현병의 연속 기간 동안 기분삽화를 보이는 것이며 최소 2주 이상 현저한 기분 장애 증상이 없이 망상, 환각만을 보이는 기간이 존재해야 한다.
물질, 약물치료로 유발된 정신병적 장애	약물 사용 중 혹은 금단기간 중 환청, 망상 등의 정신병적 증상이 나타나는 경우를 말한다.
다른 의학적 상태로 인한 정신병적 장애	기질성 정신병라고 불리었으며 의학적 상태로 뚜렷한 환각, 망상이 나타나는 경우이다.
긴장증	우울 장애, 양극성 장애, 신경발달 장애, 정신병적 장애, 기타 의학적 상태 등과 같은 몇몇 장애에서 일어날 수 있다.

② 간호중재
- 환각 : 대상자의 감정을 수용하며 환각의 내용에 대한 긴 논의나 논쟁은 금하고 환각 관련 행동을 관찰하며 명료하고 직접적 언어적 의사소통을 활용한다.
- 망상 : 망상이 시작될 때 주변 상황을 말하도록 격려한다. 말과 일치된 표정, 행동을 유지하며 현실 중심적 대화, 활동을 격려한다. 현실로부터 위축시키는 사건, 상황을 차단하고 간호사의 이름, 지위, 상호작용의 목적을 알려준다.
- 사회적 고립 : 대인 상호작용을 했을 때 이를 보상한다. 일대일 관계에 바탕을 둔 신뢰감의 발달과 사회적 범위의 증가를 시도하고 비언어적 의사소통과 상호작용을 주도한다.
- 언어적 의사소통 장애 : 침묵을 존중하되 언어적 의사소통을 수용하며 일관성과 긍정적 관심을 통해 함께 있어주며 비언어적 의사소통을 한다.
- 자기 돌봄 : 의사결정 기회를 제공하며 자가 간호 활동을 가르치고 보상하고 책임감과 독립심을 점차 증가시킨다.

❸ 기분 관련 장애

(1) 우울 장애 ✔️ 기출 '21 '20 '15

① 주요 우울 장애 : 최소 2주간 우울한 기분이 지속되며 여성에게 호발한다.

② 지속성 우울 장애(기분저하증) : 우울한 기분이 최소 2년 이상 지속되며 하루의 대부분을 우울하게 보낸다. 절망감, 집중력 감소, 우유부단, 자존감 저하, 기력의 저하나 피로감, 불면, 과수면, 식욕부진, 과식 중 2가지 이상이 나타나는 경우이다.

③ 파괴적 기분 조절 부전 장애 : 아동기, 청소년기의 불쾌한 기분을 조절하지 못한 분노발작으로, 심한 언어적, 행동적 폭발을 보이는데 6 ~ 18세 사이의 아동, 청소년기와 관련이 있다.

④ 월경 전 불쾌감 장애 : 월경 1주 전에 나타나며 생리 시작 후 며칠 내 증상이 호전된다.

⑤ 기타 장애 : 약물, 물질로 인한 우울증은 주요우울 삽화의 증상이 오래, 지속된 약물 복용, 알코올 의존증, 금단증상의 결과로 나타나는 것을 말한다.

(2) 양극성 장애 ✔️ 기출 '21

① 제Ⅰ형 양극성 장애 : 조증, 주요 우울이 교대로 혹은 조증이 반복적으로 나타나는 장애를 말한다.

② 제Ⅱ형 양극성 장애 : 조증의 정도가 경조증 정도이며 일생 한 번 이상의 주요우울 장애와 최소 한 번 이상의 경조증 삽화가 있는 경우를 말한다.

③ 순환성 장애 : 제Ⅱ형 양극성 장애가 경한 상태를 말하며 경조증, 경우울증 삽화가 교대로 나타난다. 최소 2년간 지속 되는 경우 순환성 장애로 진단되며 제Ⅰ형 양극성 장애보다 주기가 짧고 불규칙적, 급격한 기분변화를 보인다.

❹ 불안 관련 장애

구분	내용
공황장애	• 극심한 불안, 공포로 정상적 기능수행이 어려우며 지각영역은 극도로 제한되고 비현실감이 나타난다. • 예기치 못한 공황발작, 상황적으로 발생 가능한 공황발작, 상황적 공황발작으로 구분된다.
광장공포증	• 피하기 곤란하거나 도움을 받을 수 없는 장소, 상황에 혼자 있는 것을 과도하게 두려워한다. • 공황장애가 함께 나타나기 때문에 공황장애와 동일한 치료가 적용된다.
범불안 장애	일상적 사건, 상황의 실제 영향에 비해 과도한 걱정을 하는 것이며 근거를 찾기 어렵고 조절하기 힘든 부동불안 및 자율신경계 과민증상이 특징이다.
사회불안 장애	• 사회공포증이라고도 하며 공황발작을 동반 할 수 있다. • 특정 대인관계, 사회적 상황에서 다른 사람을 의식해 불안이 생긴다. 특정한 일을 수행할 때 긴장, 그리고 쳐다보는 사람들을 의식해 생기는 불안을 수행불안이라고 한다.
특정 공포증	과거 단순공포증이며 광장공포증, 사회공포증을 제외한 특정한 대상, 상황에 대한 공포를 모두 합쳐서 말한다.
분리불안장애	• 정상적 유아발달에서 발생할 수 있으며 생후 약 8개월쯤 시작되어 18개월쯤 가장 심해졌다가 감소한다. • 성인에게 적용하면 집, 애착대상에게 분리되는 것에 대한 과도한 공포, 불안 등이 있다.
선택적함구증	분리불안을 겪는 아동의 경우 평상시에는 정상적 언어생활을 하지만 불안이 야기되는 경우 말을 전혀 하지 못한다. 말 대신 몸짓, 고개끄덕임, 머리흔들기 등으로 의사 표현을 한다.
강박 및 관련 장애	강박 장애, 신체이형 장애, 발모광, 피부 뜯기 장애, 수집광 등의 세부질환을 포함하며 강박 장애는 자신의 의지와 상관없이 반복적인 사고, 행동을 되풀이한다.

CHECK 실제 면접장에서 이렇게 물어본다 !

＊ 2015 경북대 우울증 환자의 간호를 말해보시오.

학습
목표

1. 복원한 기출 문제를 통해 필기 유형을 익힐 수 있다.
2. 해설을 통해 전공 개념을 확실히 할 수 있다.

2021 국가고시 2021 원주세브란스기독병원

1 월경 주기상 월경을 5일 정도 앞둔 여성이 우울, 불안, 집중력 저하 등을 호소하며 심리적 증상을 나타낼 때 이 여성이 겪는 월경 장애로 옳은 것은?

① 과소월경
② 월경곤란증
③ 생리적 무월경
④ 속발성 무월경
⑤ 월경 전 증후군

① 과소월경 : 경구피임약 복용으로 인해 자궁 내막 에스트로겐이 결핍되고 자궁경부협착, 체중감소 등의 증상이 나타난다.
② 월경곤란증 : 골반의 기질적 병변이 없거나 동반될 때 나타나는 질환이다.
③ 생리적 무월경 : 기질적 원인없이 월경을 하지 않는 것이다.
④ 속발성 무월경 : 정상적 월경주기가 3주기 지나도록 월경이 없는 경우이다.

》》》 ⑤

2021 한국보훈병원

2 전신마취 후 맹장수술을 한 40대 환자가 밤에 잠도 못자고 중얼거리며 간호사도 알아보지 못하는 행동을 보이고 있다. 환자에게 적합한 간호진단은?

① 적응 장애
② 회상성 조작
③ 자가 간호 결핍
④ 사고과정의 변화
⑤ 기질적 기억상실

환자가 보이는 증세는 섬망 증세로 수술 회복과정에서 나타나는 지남력 상실, 불안 등의 증세로 인한 사고과정 변화이다. 수술 후 나타나는 섬망은 일시적이고 가역적으로 수일에서 수주 내 회복한다.

》》》 ④

3 25세 환자는 수개월째 방에서 혼자만의 말을 중얼거리며 밤에도 자지 않고 서성이는 등의 행동을 보이고, "나는 하늘의 계시를 받았다. 내 핸드폰으로 하늘의 지시가 내려온다. 나는 신이다." 등의 이야기를 한다. 이 환자에게 의심되는 진단명은?

① 조현병
② 보속증
③ 강박증
④ 망상장애
⑤ 알코올의존증

수개월 전부터 시작된 종교망상, 와해된 언어나 행동들로 환자에게 조현병을 진단할 수 있다.
② 보속증은 다양한 자극에 같은 동작이나 말을 반복적으로 지속하는 것이다.
③ 강박증은 의지와는 상관없는 생각이나 장면이 떠오르며 불안해 지고 불안을 없애기 위한 어떤 행동을 반복하는 것이다.
④ 망상장애는 아주 체계적이고 괴이하지 않은 망상과 망상의 내용에 적절한 정동을 보인다.
⑤ 알코올의존증은 지나친 알코올 복용으로 나타나는 중독 증상이다.

>>> ①

4 다음 사례에 나타난 방어기전으로 옳은 것은?

> 알코올의존증이 의심되는 40대 남성은 의사에게서 술을 자제하라는 권고를 듣자 "같이 일하는 사람들 때문에 어쩔 수 없어요."라고 하였다.

① 합리화
② 투사
③ 전치
④ 반동형성
⑤ 부정

이러한 방어기전은 이드(Id)의 사회적으로 용납될 수 없는 욕구나 충동과 이에 대한 초자아(Super ego)의 압력 때문에 발생하는 불안으로부터 자아를 보호하기 위한 것이다. 투사(Projec tion)는 자신이 받아들이기 힘든 충동이나 욕구를 외부로 돌려버리는 심리기제이다.

>>> ②

5 재태기간 37주 이전에 태어난 미숙아에 대한 설명으로 옳은 것은?

① 몸에 태지가 많다.

② 귀 연골이 부드럽다.

③ 몸과 머리에 털이 없다.

④ 손바닥, 발바닥에 주름이 많다.

⑤ 머리가 몸보다 상대적으로 작다.

※ 미숙아의 신체적 특징

ⓐ 태지가 거의 없다.

ⓑ 매우 작고 수척해 보인다.

ⓒ 귀 연골이 부드럽고 잘 접힌다.

ⓓ 피부는 밝은 분홍색으로 빛이 나며 부드럽다.

ⓔ 손, 발바닥에 주름이 많이 생기지 않아 부드럽다.

ⓕ 남아 음낭 주름이 적으며 고환은 하강하지 않은 상태일 수 있다.

ⓖ 여아의 음순과 음핵이 돌출되어 있고 대음순이 덜 발달되어 있다.

ⓗ 머리에 가늘고 보들보들한 머리카락이 있고 온몸에 가는 솜털이 나 있다.

ⓘ 발달방향이 머리에서 발로 진행되는 특성으로 머리가 몸에 비해 상대적으로 크다.

>>> ②

주주쌤의 슬기로운 실습 4컷

🔖 응급병동편

지키고 있는 두 명은 보호자이자 교도관이었고, 환자는 말기 암 환자였다.

의학드라마에서는 흔히, 응급 환자가 발생하면 의사가 제일 먼저 대면한다. 하지만 내가 경험한 바로는 환자와 가장 가깝고 응급 시 가장 먼저 대면하는 건 그들 옆에 항상 상주하고 있는 간호사 선생님들이었다.

누군가 알아주지 않는다 하더라도 의료인으로서의 사명감을 품는 모습에 나는 과연 어떤 사명감을 가져야 하는지 고민해보는 계기기 되었다.

더 자세한 이야기는 네이버 카페 [비컴널스]에서 확인하세요.

PART

04

부록

01 약물계산

학습
목표

1. 약물의 주입속도와 방울수 등을 계산할 수 있다.
2. 투약시간을 정확하게 계산할 수 있다.

① 투약 처방

(1) 약물 명, 1일 총 투약 개수, #, 1알 복용 횟수 및 시간

임상에서 처방 및 투약 시 주로 사용한다.

> **예** 티램 3T #3pc → 티램을 하루에 총 3T를 1일 3회 식후에 복용(=3pc)한다. 즉, 하루 총 3T를 3번으로
> 나누어(#) 하루에 1알씩 3회 식후에 복용(=3pc)한다.

> **TIP** Tip #의 의미
> Divide 즉, 나누다의 의미이다.

(2) 자주 사용되는 약어

약어	뜻	약어	뜻
am	오전	pm	오후
hs	취침 시간	q	매, 마다
ad lib	자유로	q2h	두 시간 마다
Daily	매일	q4h	네 시간 마다
Tab	알약	qs	충분한양
gr	그레인(단위)	rept	반복 가능
bid	하루 2번	non rep	반복 불가능
tid	하루 3번	stat	즉시
qd	하루 1번	pc	식후
qod	격일로	ac	식전
qid	하루 4번	#	나눠서
npo	금식	sos	위급 시
sc	피하	pr	항문으로
comp	혼합물	po	경구
aq	물	prn	필요시

01. acxetaminophen 500mg 1T bid/day 처방 시 복용 방법은?   Ⓐ 1알씩 하루 2회

02. Tetracyclin 50mg 1 cap po q5h for 4 days 처방 시 복용   Ⓐ 4일 동안 5시간마다 경구로 투약
방법은?

❷ 주입 속도

(1) gtt =분당 떨어지는(Drop) 방울 수 = gtt/min(60sec)

- 1gtt=1분당 1방울
- 10gtt=1분당 10방울=10/60=6초당 1방울
- 20gtt=1분당 20방울=20/60=3초당 1방울
- 30gtt=1분당 30방울=30/60=2초당 1방울
- 40gtt=1분당 40방울=40/60=1.5초당 1방울
- 50gtt=1분당 50방울=50/60=1.2초당 1방울
- 60gtt=1분당 60방울=60/60=1초당 1방울

(2) 분당 방울수(속도) 계산

- 1분당 방울수(gtt/min) = 시간당 주입량(ml/hr) × Drip Factor(20gtt) ÷ 60min
- cc/hr ÷ 3 = gtt/min
- gtt/min × 3 = cc/hr
- ※ 현재는 1cc당 20gtt의 주입 속도로 규격화되어 1ml = 20gtt의 공식으로 계산한다.

문제로 확인하기

01. 100cc/hr의 gtt/min을 구하시오.(단, 20gtt 세트를 사용한다)

$$\frac{100cc}{1hr} \times \frac{20gtt}{1ml} \div 60min$$
$$= \frac{100cc}{1hr} \times \frac{20gtt}{1ml} = 약 \ 33gtt/min$$

Ⓐ 약 33gtt/min

02. 1000ml 수액을 7시간 동안 주입하려고 할 때 gtt/min을 구하시오.(단, 20gtt 세트를 사용한다)

$$\frac{1,000cc}{7hr} \times \frac{20gtt}{1ml} \div 60min$$
$$= 약 \ 48gtt/min$$

Ⓐ 약 48gtt/min

❸ 시간당 주입량

(1) cc/hr = 한 시간에 투여되는 cc(ml) 양

- 1cc/hr = 시간당 1cc
- 10cc/hr = 시간당 10cc
- 100cc/hr = 시간당 100cc
- 200cc/hr = 시간당 200cc

시간당 주입량(cc/hr)	1분당 방울수(gtt/min)	1방울당 소요시간(sec)	하루 총 주입량
5	1.7	36	
10	3.3	18	
15	5	12	
20	6.7	9	500ml
25	8.3	7.2	
30	10	6	
40	13.3	4.5	1L
50	16.7	3.6	
60	20	3	1.5L
80	26.7	2.3	2L
100	33.3	1.8	
125	41.7	1.4	3L

※ 1ml당 20gtt 수액세트 기준

(2) 시간당 주입량 계산

- 시간당 주입량(ml/hr) = 총 주입량(ml) ÷ 주입 시간(hr)
- gtt/min × 3 = cc/hr
- 초당 방울수(sec/gtt) = 60sec/1분당 방울수

01. 0.9% N/S 1L를 24시간 동안 주입하려면 시간당 몇 cc를 주어야 하는지 구하시오.

1000ml ÷ 24 = 41.666···
Ⓐ 약 42cc/hr

02. dobutamin 250mg 2A을 5% D/W 200ml에 mix하여 20mg 속도로 주입할 때, 시간당 몇 cc를 주어야 하는지 구하시오.

$500 : 200 = 20 : x = 4000 = 500x$
$= x = 8$(5% D/W fluid 8ml=dobutamin 20mg이 mix된 상태)
=8cc/hr(약 2.6gtt/min)
Ⓐ 8cc/hr

03. 5gtt/min의 1방울 점적 시 소요 시간을 구하시오.

$\dfrac{60\text{sec}}{5gtt} = 12$
Ⓐ 12

04. H/S 2L를 24시간 동안 주입하려할 때 1방울 점적 시 소요 시간을 구하시오.

2,000ml ÷ 24 = 83.333···
= 83cc/hr × 20gtt ÷ 60sec
= 27.666···
= 28gtt
$= \dfrac{60\text{sec}}{28gtt}$
=2.1
Ⓐ 2.1

④ 약물 용량 단위 환산

- 1cc = 1ml
- 1L = 1,000ml
- 1kg = 1,000g
- 1g = 1,000mg
- 1mg = 1,000mcg
- 1mcg = 1,000ng

문제로 확인하기

01. 항생제 1g을 mg(밀리그램)으로 변환하시오.

1g × 1,000 = 1,000mg

ⓐ 1,000

02. 20mcg을 ng(나노그램)으로 변환하시오.

20 × 10,000 = 200,000ng

ⓐ 200,000

⑤ 약물 농도 계산

- 주입 용량(mcg/kg/min) = $\dfrac{\text{주입 속도}(cc/hr) \times \text{총 희석량}(mcg)}{\text{총량}(cc) \times 60\text{min} \times kg}$

- 주입 속도(cc/hr) = $\dfrac{\text{주입 용량}(mcg/kg/min) \times \text{총량}(cc) \times 60\text{min} \times kg}{\text{희석용량}(mcg)}$

문제로 확인하기

01. dopaime 400mg을 10% DW 1L에 mix한 후 4mcg/kg/min의 속도로 투여하려고 한다. 환자의 체중이 80kg인 경우 infusion pump에 몇 cc/hr로 설정해야 하는지 구하시오.

cc/hr = 4mcg × 80kg × 60min / 농도
= 19,200 / 농도
(농도 구하기)
1,000ml : 400mg = 1ml : x
= 400 ÷ 1,000 = 0.4mg(10% DW 1ml에 dopamin 0.4mg이 녹아있음)
= 0.4mg × 1,000(1mg = 1,000mcg)
(단위로 변환)
400mcg(농도) = 19,200 ÷ 400 = 48cc/hr
Ⓐ 48

02. Lidocaine(400mg/20ml)을 3mg/min으로 주입하려면 몇 cc/hr로 주입해야 하는지 구하시오.

cc/hr = 3mg × 60sec / 농도 = 180 / 농도
(농도 구하기)
20ml : 400mg = 1ml : x = 400 ÷ 20
= 20 × 1,000 = 20
(농도) = 180 ÷ 20 = 9cc/hr
Ⓐ 9

03. Morphine 5mg을 주려면 몇 cc를 주어야 하는지 구하시오.
(단, 1amp = 10mg(1cc)이다.)

10mg : 1cc = 5mg : x = 5 = 10 x
= x = 0.5 = 0.5cc(5mg) 주입

Ⓐ 48

04. heparin(25,000U/5ml)로 N/S 100ml에 mix하여 1:100 heparin용액을 만드시오.

25,000U / 5ml = 5,000U : 1ml
= 10,000U : x
= x = 2ml
= heparin 2ml를 N/S 98ml에 mix

Ⓐ 2

PART 04 부록

활력징후 및 임상병리검사 정상치

학습
목표
임상병리검사의 정상 수치를 파악할 수 있다.

웅고검사(Coagulation)		동맥혈 가스분석(Arterial blood gas analysis)	
검사	정상치	검사	정상치
PT	12.3 ~ 14.2sec	pH	7.35 ~ 7.45
PTT	25 ~ 34sec	PaCO2	35 ~ 45mmHg
Bleeding Time	2 ~ 7min	PaO2	80 ~ 100mmHg
Clotting Time	3 ~ 13min	HCO3−	21 ~ 27mEq/L
Thrombin Time	6.3 ~ 11.1sec	SaO2	95 ~ 98%
Fibrinogen	200 ~ 400mg/dL	Base Excess	±2 mEq/L

활력징후					
구분		유아	청소년	성인	노인
체온(℃)		37.2 ~ 37.6℃	36.1 ~ 37.2℃	36.1 ~ 37.2℃	35.6 ~ 37.2℃
맥박(회/분)		80 ~ 130회/분	70 ~ 100회/분	60 ~ 100회/분	60 ~ 100회/분
호흡(회/분)		24 ~ 40회/분	18 ~ 22회/분	12 ~ 20회/분	12 ~ 20회/분
혈압 (mmHg)	수축기	80 ~ 112mmHg	94 ~ 120mmHg	90 ~ 120mmHg	90 ~ 120mmHg
	이완기	50 ~ 80mmHg	62 ~ 80mmHg	60 ~ 80mmHg	60 ~ 80mmHg

면역화학검사		요검사(Urinalysis)	
검사	정상치	검사	정상치
Transferrin	230 ~ 320mg/dL	Color	Amber Yellow
Ferritin	M : 29 ~ 371ng/mL	Turbidty	clear
	F : 완경 전 5 ~ 96ng/mL	Specific Gravity	1.003 ~ 1.035
	완경 후 5 ~ 277ng/mL	pH	4.5 ~ 8.0
Ig A	M : 100 ~ 490mg/dL	γ － GT	M : 3 ~ 39U/L
	F : 85 ~ 450mg/dL		F : 1 ~ 27U/L
Ig D	0 ~ 3mg/dL	WBC	0 ~ 5/HPF
Ig E	20 ~ 740mg/dL	Ep. cell	(－)
Ig G	800 ~ 1750mg/dL	Ketones	(－)
Ig M	M : 50 ~ 320mg/dL	Bilirubin	(－)
	F : 60 ~ 370mg/dL	Protein	(－)
T cell	80.2 ~ 94.4%	Blood	(－)
B cell	9.7 ~ 13.6%	Glucose	(－)
Null cell	8.4 ~ 13.4%	Osmolality	50 ~ 400mOsm/kg
		Sodium	40 ~ 220mEq/day
		Potassium	25 ~ 125mEq/d

혈액화학검사(Chemistry)			
검사	정상치	검사	정상치
Sodium	135 ~ 145mEq/L	Alk. Phos	25 ~ 100U/L
Potassium	3.5 ~ 5.1mEq/L	LDH	< 130mg/dL
Chloride	98 ~ 106mEq/L	CPK	M : 50 ~ 325U/L F : 5 ~ 250U/L
Bicarbonate	22 ~ 29mEq/L	CK − MB	< 5%
BUN	7 ~ 18mg/dL	CK − BB	< 1%
Creatinine	0.6 ~ 1.2mg/dL	CK − MM	< 5%
Uric Acid	2.0 ~ 6.9mg/dL	FBS	70 ~ 115mg/dL
Ammonia	9 ~ 33mol/L	PP2hr	80 ~ 140mg/dL
Calcium	8.4 ~ 10.2mg/dL	HbA1c	4 ~ 6%
Phosphate	2.7 ~ 4.5mg/dL	Cholesterol	120 ~ 200mg/dL
Magnesium	1.3 ~ 2.1mEq/L	HDL	M : 35 ~ 50mg/dL F : 45 ~ 65mg/dL
Anion gap	7 ~ 16mEq/L	Triglyceride	40 ~ 190mg/dL
Osmolality	275 ~ 295mOsm/kg H_2O	Lipase	10 ~ 140U/L
Protein	6.0 ~ 8.0g/dL	Amylase	30 ~ 110U/L
Albumin	3.5 ~ 5.5g/dL	Iron	M : 65 ~ 175ug/dL F : 50 ~ 170ug/dL
Total bilirubin	0.2 ~ 1.0mg/dL	TIBC	M : 280 ~ 354ug/dL F : 281 ~ 361ug/dL
D. Bilirubin	0.1 ~ 0.3mg/dL	Free T_4	0.71 ~ 1.85ug/dL
AST/SGOT	0 · 40U/L	TSH	0.32 ~ 5.00uU/mL
ALT/SGPT	0 ~ 40U/L		

전혈구검사(CBC)		혈청면역검사	
검사	정상치	검사	정상치
WBC	$4.5 \sim 11.0 \times 10^3/mm^3$	ASO	< 200 Unit
RBC	$3.8 \sim 5.7 \times 10^6/mm^3$	CRP	< 0.5mg/dL
Hb	13.5 ~ 17.0g/dL	RA test	(−)
Hct	39 ~ 50%	Widal test	≤ 1 : 80
MCV	$80 \sim 96um^3$	Anti−HAV(IgM)	(−)
MCH	27 ~ 33pg/cell	HBs Ag	(−)
MCHC	32 ~ 36 g/dL	Anti−HBs Ag	(−)
Platelets	$150 \sim 400 \times 10^3/mm^3$	HBc Ag	(−)
MPV	7.4 ~ 10.4fL	Anti−HBc	(−)
Segs(Neutrophil)	55 ~ 70%	HBe Ag	(−)
Band(Neuts)	2 ~ 6%	Anti−HBe	(−)
Lymphocytes	20 ~ 44%	AFP	8.5ng/mL
Monocytes	2 ~ 8%	CEA	흡연자 : 5ng/mL
Eosinophils	1 ~ 4%		비흡연자 : 3ng/mL
Basophils	0.5 ~ 1%	Antinuclear Ab	(−)
ESR	M : 1 ~ 10mm/h		
	F : 0 ~ 20mm/h		

CHAPTER 03 면접 예상질문

학습목표 면접전형은 대부분 해당 직무수행에 필요한 능력 및 적격성을 다섯 가지 요소로 평가한다. 일반적으로는 평가요소는 전문지식과 그 응용력, 의사발표의 정확성과 논리성, 예의·품행 및 성실성, 창의력·의지력·발전가능성, 의료인으로서의 정신자세 등으로 확인한다.

01 전문지식과 그 응용력

■ 운동성 실어증 종류에는 무엇이 있습니까?

TIP 운동성 실어증은 대뇌의 손상에 의한 언어장애로, 증상에 따른 종류와 원인을 설명하도록 한다.

■ 수혈 시 주의해야 하는 증상은 무엇입니까?

TIP 수혈의 목적에 대해 분명하게 알고 있어야 하며, 수혈 시 주의사항과 더불어 수혈 반응 시 간호도 함께 설명하도록 한다.

■ 응급환자 분류체계를 알고 있습니까?

TIP 검정색은 긴급환자, 적색은 응급환자, 노란색은 비응급환자, 녹색은 지연환자를 뜻하는 4대 색깔 환자 분류체계를 설명하도록 한다.

■ 혈액형 검사와 PT가 말하는 혈액형이 다른 경우 PT에게 어떻게 고지하겠습니까?

TIP 치료적 의사소통의 기술 중 정보제공하기(Providing Information)를 사용하여 대상자가 원하거나 필요한 경우 정보를 제공하고 전문 지식을 알려주도록 한다.

■ 혈액 수혈을 잘못한 경우 어떻게 하겠습니까?

TIP 즉시 수혈을 중단하고 생리식염수로 대치하여 정맥 주입로를 확보하며, 수술 종료 후 호흡곤란 등의 위해가 발생할 시 인공호흡기 치료를 한다.

■ 역격리에 대해 알고 있습니까?

TIP 면역력이 약한 환자를 외부 균으로부터 보호하는 것으로 대상과 더불어 간호에 대해 설명하도록 한다.

■ 투약 시 6R(혹은 7R)에 대해 알고 있습니까?

TIP 정확한 대상자(The right Client), 정확한 약물(The right Drug), 정확한 용량(The right Dose), 정확한 경로(The right Route), 정확한 시간(The right Time), 정확한 기록(The right Documentation) + 정확한 교육(The right Teaching)

■ 편마비가 온 PT가 화장실을 가려고 할 때 어떻게 보조하겠습니까?

TIP 마비측 혹은 건측을 밑으로 하여 일어나기를 보조한다. 일반 변기로 옮겨 앉는 방법과 환자용 변기를 사용하는 경우를 설명하도록 한다.

02 의사발표의 정확성과 논리성

장기 기증에 대해 본인의 생각을 말해보세요

TIP 장기기증은 질병과 사고 등의 이유로 기능을 소실한 환자들의 유일한 치료 방법이다. 현재 우리나라는 대기자만 약 3만 4천 명에 달하나 기증자는 약 600여 명에 그쳐 수입에 의존하고 있다.

범죄자가 응급실에 실려 왔을 경우 어떻게 하겠습니까?

TIP 의료윤리와 개인의 가치관에 마찰이 생겨 회의감이 들 수 있으나, 환자의 배경은 의료인과 관련이 없어야 한다.

낙태에 대해 어떻게 생각합니까?

TIP 낙태 시 여성만 책임을 지는 것은 평등하지 못하다는 찬성 측 입장과 최소한의 도덕을 규정해야 하며 출산율을 고려해야 한다는 반대 측 입장이 대립하고 있다.

최근 코로나19로 인한 병동 근무 시간 초과에 대해 어떻게 생각합니까?

TIP 자신의 의견을 솔직하게 제시하되, 가치관의 건전성을 의심받을 수 있는 답변은 주의한다.

수술실 CCTV 설치 의무화에 대해 어떻게 생각합니까?

TIP 의료사고를 예방하기 위해 설치가 필요하다는 찬성 측 입장과 환자와 의료진 모두의 사생활 침해라는 반대 측 의견이 대립하고 있다.

간호·간병통합서비스 확대에 대한 입장을 말해보세요.

TIP 환자의 보호자나 간병인 없이 간호사와 간호 보조인력들이 24시간 환자를 간호하는 제도를 말한다. 개인적으로 간병인을 두기 어려운 환자들을 위해 도입된 제도이며 입원 서비스의 질을 높여 환자들의 만족도는 올라갔으나, 간호사들은 감정 노동의 스트레스로 근무환경 개선 방안이 필요하다.

미디어 매체에서 간호사를 소비하는 방식에 대해 어떻게 생각합니까?

TIP 미디어 매체에서 간호사를 선정적인 이미지로 소비하는 것은 이미 사회에 만연한 간호사 성적 대상화 풍조를 드러낸다. 이는 미디어 매체가 사회적 영향력을 감안하여 사회적 책임을 느껴야 할 것임을 피력한다.

PA에 대한 견해와 해결방안을 말해보세요.

TIP 의사 파업 당시 PA(Physician Assistant)나 전문 간호사가 의사의 일부 진료 업무를 대행했으나, 불법 행위로 내몰려 사회적 문제로 불거지기도 했다. 2015년 전공의의 주당 최대 수련 시간을 제한하면서 전공의 업무 일부를 PA가 맡게 되었다. 반면 전문 간호사는 전문성과 자율성을 살려 환자에게 질 높은 서비스를 제공하지만, 업무 범위가 구체화되지 않아 일부는 불법 의료행위로 간주되고 있다.

03 예의·품행 및 성실성

🔋 개인적으로 힘들었던 시기가 있습니까?

TIP 노력에 비해 결과가 나오지 않았을 경우 등 극복할 수 있는 사례를 들며, 극복한 방법도 함께 준비하는 것이 좋다.

🔋 직업 특성상 자신보다 어린 선배가 존재할 텐데, 어떻게 생활하겠습니까?

TIP 나이를 내세우기보다 선배의 경력과 능력을 먼저 생각하며 조직에 융화할 수 있는 방안을 준비하는 것이 좋다.

🔋 1분 동안 자기소개 해보세요.

TIP 면접의 기본 질문으로, 제출한 자기소개서를 바탕으로 본인의 지원동기와 자신의 가치관을 담도록 한다. 이때, 너무 장황하게 답변하기보다 자신의 장점을 부각시켜 답변하도록 한다.

🔋 어떤 아르바이트를 경험이 있습니까?

TIP 여러 경험을 해본 것은 좋으나 너무 많은 경우 참을성이 없어보이므로 주의하여 답변하고, 아르바이트를 하며 자신에게 도움이 되었던 점을 밝히는 것이 좋다.

🔋 면접 장소에는 언제 도착하였습니까?

TIP 평소 태도 및 계획성을 알 수 있는 질문으로 일찍 도착하여 준비했다는 것을 가볍게 언급하는 것이 좋다.

🔋 배려는 무엇이라고 생각합니까?

TIP 가치관이 드러나는 질문으로, 자신이 생각하는 배려의 정의와 최근에 본인이 배려한 경험을 함께 답변하는 것이 좋다.

🔋 간호사는 언제부터 꿈꿔왔습니까?

TIP 자신의 소신과 간호사를 선택한 이유를 함께 적용하여 답변하는 것이 좋다.

🔋 평소 생활신조는 무엇입니까?

TIP 생활신조보다 그를 통해 어떤 영향을 얼마나 받았으며 자신의 삶에 어떻게 적용하고 있는지 답변하도록 한다.

🔋 최근 6개월 내에 봉사활동 경험이 있습니까? 봉사활동에 대해 어떻게 생각합니까?

TIP 반드시 크고 대단한 봉사일 필요는 없다. 자신이 생각하는 봉사와 자신의 경험, 그리고 느낀 점을 답변하도록 한다.

🔋 자신이 가장 인내했던 일은 무엇입니까?

TIP 태도와 성품을 알 수 있는 질문으로, 경험과 함께 자신에게 미친 영향까지 답변하는 것이 좋다.

04 창의력·의지력·발전가능성

📋 **실습 중 배우지 말아야 했던 간호사와 만난 경험이 있었습니까?**

💡 선배 간호사의 험담보다는 자신은 어떤 자세로 임할지에 대해 답변하도록 한다.

📋 **환자와 간호사가 서로 의견이 충돌될 때에 어떻게 대처하겠습니까?**

💡 환자의 이야기를 충분히 듣고 공감과 수용, 의견 피드백 등을 통해 환자에게 이로운 선택이 되도록 진행하여야 한다.

📋 **자신의 영어능력을 어떻게 활용하겠습니까?**

💡 단순히 외국인 환자를 응대하겠다는 답변보다는 자신이 가진 영어능력으로 전문지식을 보충하는 등 자기개발에 힘쓰겠다는 방향이 좋다.

📋 **우리 의료원의 비전에 대해 알고 있습니까?**

💡 병원 정보는 미리 숙지하며, 자신의 가치관과 합치하여 지원하였음을 언급하는 것이 좋다.

📋 **환자가 소리를 지르고 행패를 부린다면 어떻게 대처하겠습니까?**

💡 위기대처 능력을 알 수 있는 질문이다. 환자에게 설득과 회유를 통해 유연하게 대처할 것임을 보여준다.

📋 **자신을 동물에 비유한다면 어떤 동물입니까?**

💡 게으르거나 개인 성향이 강한 동물보다는 무리 생활을 하며 긍정적인 이미지를 가진 동물에 비유하는 것이 좋다.

📋 **오프 날 무엇을 하며 시간을 보내겠습니까?**

💡 시간을 어떻게 관리하는지, 외향형인지 내향형인지 알 수 있는 질문이다. 오프 날에 지인을 만난다는 답변도 좋지만 그로 인해 다음날 업무에 지장이 있을 것 같다는 인상을 남기지 않도록 주의한다.

📋 **스트레스를 해소하는 자신만의 방법은?**

💡 환자 또는 선후배 관계 등 다양한 스트레스 요인이 존재한다. 빈번하고 피할 수 없는 스트레스를 건강하고 바람직하게 해소할 수 있도록 한다.

📋 **선배 간호사와의 의견이 충돌하였을 때 어떻게 대처하겠습니까?**

💡 선배 간호사의 의견과 자신의 역할 및 임무를 파악하고 자신의 의견을 다시 한 번 검토해 본다는 정도가 적절하다.

📋 **보호자가 환자의 검사결과에 대한 설명을 원할 경우 어떻게 하겠습니까?**

💡 면회시간 정보를 제공하여 주치의에게 직접 설명을 들을수 있도록 안내하겠다는 정도가 적절한 답변이다.

05 의료인으로서의 정신자세

🔲 **어떤 마음가짐으로 입사하겠습니까?**

🆃🅸🅿 의료윤리에 부합하는 마음가짐으로 임하겠다는 답변이 좋다.

🔲 **간호사에게 필요한 역량은 무엇입니까?**

🆃🅸🅿 한국간호사 윤리강령 가운데 자신이 중요하게 생각하는 윤리의식과 이유를 함께 제시하도록 한다.

🔲 **간호사의 역할 중 가장 중요하다고 생각하는 역할은 무엇입니까?**

🆃🅸🅿 의료 업무뿐만 아니라 병원 행정의 전반을 파악하고 기획, 실행하는 등 간호사의 역할은 다양하다. 한 가지 역할만을 언급하기보다 전반적인 간호 업무를 언급하고 그 중 자신이 중요하게 생각하는 역할과 이유를 제시하는 것이 좋다.

🔲 **의사의 처방이 잘못되었을 때 어떻게 대처하겠습니까?**

🆃🅸🅿 간호사 윤리강령에 따라 안전한 간호를 위해 다시 한 번 확인할 것을 요청한다는 답변이 좋다.

🔲 **자신이 생각하는 바람직한 간호사는 어떤 모습입니까?**

🆃🅸🅿 자신의 경험과 함께 본받고 싶은 간호사의 모습을 제시하도록 한다.

🔲 **간호를 어떻게 정의하고 있습니까?**

🆃🅸🅿 사전적 정의로는 대학의 간호학과를 졸업하고 전문적인 지식과 실무 능력으로 면허를 취득한 의료인이나, 개인적인 견해를 담아 답변하도록 한다.

🔲 **나이팅게일 선서에 대한 생각은?**

🆃🅸🅿 나이팅게일 선서에 대해 개인적으로 느낀 점 (나이팅게일이 전하는 정신, 나의 마음가짐 등)을 함께 제시하는 것이 좋다.

🔲 **간호 업무의 적성과 보수 중 어느 것이 더 중요하다고 생각합니까?**

🆃🅸🅿 간호사는 특히 소명을 가지고 하는 업무인 만큼 자질과 적성이 중요하다. 적절한 보수가 동기부여가 될 수 있지만 업무 만족도가 우선시 되어야 한다.

🔲 **친절한 간호는 무엇이라고 생각합니까?**

🆃🅸🅿 환자의 상태와 입장을 고려하고 적절한 간호중재를 취하는 등 자신의 경험과 견해를 함께 제시하도록 한다.

🔲 **간호사가 다른 직업과 차별화 되는 가치는 무엇이라고 생각합니까?**

🆃🅸🅿 국가와 인류사회에 공헌하는 숭고한 사명으로 행하는 직업임을 자신의 견해를 함께 제시하도록 한다.

면접 질문에 답변 작성해보기

자주 물어보는 면접 질문을 수록해두었습니다. 직접 면접 질문에 대한 답변을 작성해보면서 면접장에 들어가기 전에 최종적으로 정리를 해보세요.

본인만의 스트레스 해소방법에 대해서 말해보시오.

환자가 IV를 거부한다면 어떻게 해결할 것인지 말해보시오.

보호자가 자신의 가족부터 치료해달라고 강하게 항의를 한다면 어떻게 대처할 것인가?

당뇨병의 종류에 대해서 설명하고, 당뇨환자의 발 관리 방법에 대해서 말해보시오.

낙상을 예방하기 위한 방법에 대해서 말해보시오.

근무하기를 원하는 부서와 함께 왜 그 부서에서 근무를 하길 원하는지 말해보시오.

상식 용어사전 시리즈

합격GO!

💥 **빈출 일반상식**

　　공기업/공공기관 채용시험 일반상식에서 자주 나오는 빈출문항을 정리하여 수록한 교재! 한 권으로 일반상식 시험 준비 마무리 하자!

💥 **중요한 용어만 한눈에 보는 시사용어사전 1130**

　　매일 접하는 각종 기사와 정보 속에서 현대인이 놓치기 쉬운, 그러나 꼭 알아야 할 최신 시사상식을 쏙쏙 뽑아 이해하기 쉽도록 정리했다!

💥 **중요한 용어만 한눈에 보는 경제용어사전 961**

　　주요 경제용어는 거의 다 실었다! 경제가 쉬워지는 책, 경제용어사전!

💥 **중요한 용어만 한눈에 보는 부동산용어사전 1273**

　　부동산에 대한 이해를 높이고 부동산의 개발과 활용, 투자 및 부동산 용어 학습에도 적극적으로 이용할 수 있는 부동산용어사전!

기출문제 총집합!

자격증 별로 정리된

기출문제로 깔끔하게 합격하자!

스포츠지도사, 손해사정사, 손해평가사, 농산물품질관리사, 수산물품질관리사, 관광통역안내사, 국내여행안내사, 보세사, 건축기사, 토목기사